TOWNSHIP OF RU...
BIBLIOTHÈQUE PUBLIQUE DU CANTON DE RU...
ROSSER BRANCH

Trop jeune pour elle?

Amélie parut revenir à elle. Elle le regarda dans les yeux. Elle semblait nerveuse. Elle parla d'un ton calme et serein, un ton que Kevin n'avait jamais entendu auparavant.

— Hélène avait raison, tu sais. J'étais jalouse.

Kevin demeura immobile. Il lui sembla qu'en cet instant précis, leur monde venait de se transformer. Amélie se tenait à quelques pas de lui. Leurs cœurs battaient à tout rompre.

— Elle avait raison à mon sujet aussi, murmura-t-il. Presque sur toute la ligne.

Kevin embrassa Amélie du regard. Elle tremblait, tandis que de nouvelles émotions s'emparaient de lui. S'en rendait-elle compte?

— Alors, qu'allons-nous faire? demanda Amélie, d'une voix aussi douce qu'incertaine.

Ni lui ni elle n'auraient su dire lequel d'entre eux avait fait le premier pas. Tout ce qu'ils savaient, c'était qu'ils étaient dans les bras l'un de l'autre et que leurs lèvres étaient brûlantes.

Déja parus
dans la même collection:

À paraître bientôt:

Trop jeune pour elle?

Alison Creaghan

Traduit de l'anglais
et adapté pour le Québec
par Brigitte Bergevin

Photo de la page couverture: Daniel Ouellette

SMB
jeunesse

Titre original:
Cradle Snatcher
Copyright © Sue Welford, 1993
Publié par Scholastic Publications Ltd., Londres

© Les Éditions SMBi inc., 1996, pour la traduction
française
Tous droits réservés

Dépôts légaux: 2e trimestre 1996
Bibliothèque nationale du Québec
Bibliothèque nationale du Canada

ISBN: 2-921884-96-8
(Édition originale: ISBN 0-590-55278-3)

Toute reproduction, totale ou partielle, par quelque
moyen que ce soit, est strictement interdite sans l'au-
torisation des éditeurs.

SMBi tient à remercier Tania De Nobile, Lyne
Goyette, Isabelle Lamothe, Christine Lavaill,
Maxime Paquette de leur précieuse collaboration.

Diffusion: Diffulivre inc.
Imprimé au Canada

LES ÉDITIONS SMBi INC.
1751, rue Richardson, bureau 2511
Montréal (Québec) H3K 1G6
(514) 931-SMBI

1

Pour un mariage la journée n'avait pas trop mal commencé. La cérémonie avait duré moins d'une heure, mais maintenant on pouvait s'attendre à ce que l'inévitable séance de photos s'éternise. Le soleil réussissait quelques percées à travers les nuages pendant que Christine et Benoît obéissaient aux moindres ordres que leur lançait le photographe. Une pose comme ceci, une comme cela et puis encore une comme ça... Amélie se disait que toute cette histoire devenait agaçante et que de toute façon les portraits de mariage manquaient toujours de naturel. Mais, comme les nouveaux mariés avaient l'air heureux, le reste avait bien peu d'importance.

— Oh, le beau petit couple! dit une voix derrière elle.

— Très romantique, ajouta Amélie sur un ton sarcastique malgré sa sincérité.

Quand Kevin Paquette était dans les parages, Amélie disait souvent le contraire de ce qu'elle pensait. Kevin, de deux ans son cadet, était blond aux yeux bleus. Amélie, elle, avait presque dix-sept ans.

— En fait, je ne comprends pas pourquoi ils se marient, continua Kevin, le sourire aux lèvres. Après tout, ça fait deux ans qu'ils habitent ensemble.

— Tu comprendras quand tu seras plus vieux.

Elle eut le réflexe de lui tapoter la tête, comme elle le faisait depuis toujours. Mais elle retint son geste. Kevin était aussi grand qu'elle et ce, malgré ses talons hauts. Sans chaussures, Amélie mesurait 1m64. Elle n'avait pas grandi d'un centimètre depuis un an et demi. C'est évident que Kevin sera plus grand que moi un jour, se consola-t-elle.

— J'espère que ça achève, lui dit Kevin. Je meurs de faim.

Au même moment, le photographe pria les invités de la mariée de venir la rejoindre. Kevin, les yeux pétillants, alla se planter là où on le lui demanda. Amélie ne ferait pas partie de cette photo.

Chelsea est un petit village en banlieue de Hull où presque tout le monde se connaît, mais où les gens se voisinent peu. Les parents d'Amélie étaient plus proches des parents du marié que de ceux de la mariée. Elle regardait les amis de Christine s'activer autour d'elle quand Steve Tremblay, un ancien camarade d'école, arriva.

— Tu es ravissante aujourd'hui, Amélie.

— Merci.

Amélie ne lui retourna pas le compliment. Elle n'aimait pas Steve qui lui pourtant s'aimait avec passion. Steve était un grand efflanqué aux cheveux gras qui étudiait les sciences pures.

— J'ai bien hâte de te faire danser ce soir.

Amélie lui décocha un sourire qu'elle espéra assez glacial pour qu'il comprenne qu'il rêvait. Pourquoi certains garçons — dès qu'ils entraient au cégep — étaient-ils convaincus qu'ils accordaient une faveur aux filles à qui ils parlaient?

— Il faudra d'abord que tu obtiennes la permission de mon *chum*.

Mais avant qu'il ne puisse ajouter quelque chose,

le photographe appela auprès de lui les invités du marié. Steve la prit par le bras. Amélie dut donc se résoudre à poser à côté de lui, un sourire forcé sur les lèvres. Elle espéra que ses parents ne voudraient pas conserver une copie de cette photo.

La séance se termina finalement. Christine lança son bouquet qu'une jolie blonde élancée attrapa. C'était Hélène, la sœur de la mariée.

— Ne lancez pas de confettis sur la pelouse! implora le vicaire. Les oiseaux n'en mangent pas, malgré ce que peut en dire l'emballage.

Mais personne ne l'écouta. Les flashs des caméras crépitèrent pendant que des milliers de petites rondelles de papier virevoltaient dans les airs. Quelques instants plus tard, Christine et Benoît avaient disparu. Amélie se retrouva entre Kevin et Hélène, qui admirait son bouquet.

— Qui est l'heureux élu? la taquina Kevin.

Hélène rougit, ne sachant pas quoi répondre. Amélie vint à sa rescousse pendant que les invités se dispersaient.

— Ignore-le. Il a l'esprit tordu.

— Je sais, lui répondit Hélène. Je l'ai déjà eu dans ma classe.

— C'est de moi que vous parlez? demanda Kevin sur un ton plaintif.

Les deux filles se mirent à rire et le visage d'Hélène retrouva son teint normal. Ses parents l'interpellèrent.

— Viens, Hélène, il faut que nous arrivions à la salle avant les invités.

La réception avait lieu dans un immense hôtel de Hull. Le repas était plutôt fade, mais, au moins, le vin était fourni. On avait rassemblé tous les adolescents à la même table. Demoiselle d'honneur, Hélène était assise à la table des mariés, mais elle paraissait s'y ennuyer. Elle n'avait que la petite sœur de Benoît, âgée de sept ans, à qui parler. Hélène regardait la table d'Amélie à tous moments, comme si elle avait été prête à tuer pour s'y retrouver.

— Et toi, Amélie, est-ce que tu vas te marier à l'église? demanda Steve sur un ton obséquieux.

— Non, intervint Kevin avant même qu'Amélie ne trouve une façon de clouer le bec à Steve. Amélie se mariera dans un grand magasin. Comme ça les invités n'oublieront pas les cadeaux de noces.

Steve fronça les sourcils d'un air menaçant, comme s'il avait eu envie de frapper Kevin. Amélie éclata d'un rire nerveux. Elle ne savait pas si elle riait à cause de la blague de Kevin, ou si le vin commençait à produire son effet. Mais la blague eut le résultat escompté, Steve ne lui adressa plus la parole de la soirée.

Grâce au ciel, les discours furent brefs et les tintements des cuillères sur les verres à peu près absents. Après le café, on demanda aux invités de sortir pour permettre aux employés de débarrasser les tables et de réaménager la salle. Amélie en profita pour se faufiler jusqu'aux toilettes dans le but d'y rafraîchir son maquillage. Hélène s'y trouvait déjà et changeait de vêtements.

— Ouf! Il était temps, je n'en pouvais plus, dit-elle d'un air résolument soulagé. Cette robe me donnait l'air d'avoir au moins *trente ans*!

— Elle t'allait plutôt bien, dit Amélie d'un ton nonchalant.

— Tu aurais été beaucoup plus belle que moi dans cette robe. Mais c'est vrai que même un sac à ordures t'irait bien. Moi, j'avais l'air d'un insecte en robe de maternité.

Amélie éclata de rire. Puis elle se regarda dans le miroir. Son physique faisait jaser. On disait qu'elle pourrait entreprendre une carrière de mannequin. Oui, à n'en pas douter, elle avait toutes les qualités nécessaires pour faire carrière dans la mode. Mais quelques petites imperfections l'agaçaient. D'abord, elle n'était pas tout à fait assez grande. Sa chevelure était noire, longue et abondante en plus d'être docile, mais elle n'était pas aussi noire que du jai, à moins de la teindre. Ses yeux étaient d'un vert profond, par contre ses sourcils, légèrement trop fournis. Aussi devait-elle les épiler avec soin. Ses dents étaient parfaitement blanches et régulières — après tout, elle avait porté des broches pendant deux ans.

— Et puis? De quoi ai-je l'air?

Hélène était maintenant vêtue d'un pantalon noir et d'un chemisier en satin blanc qui lui allaient à ravir.

— Tu es superbe, lui répondit Amélie sincèrement. Je suis certaine qu'il tombera à tes pieds. Qui qu'il soit.

Hélène osa un sourire timide.

— Je suis certaine qu'il ne m'a même pas remarquée.

— Qui?

— Kevin.

— Kevin *Paquette*?

— Qui d'autre?

Ainsi donc, le petit Kevin était parvenu à l'âge d'avoir une blonde… Amélie l'avait toujours considéré comme son petit frère, ce qui n'était pas si loin de la réalité. Tout comme elle, il était enfant unique. Voisins presque immédiats, ils avaient joué ensemble durant des années. «Jouer» n'était pas le terme tout à fait exact pour décrire leur relation, car Kevin avait surtout obéi aux ordres qu'Amélie lui avait lancés selon ses humeurs.

— Je ne suis pas certaine que Kevin soit assez vieux pour avoir une blonde, dit Amélie sur un ton qui se voulait plein de tact. Il peut se montrer assez immature parfois.

— *Tous* les gars sont immatures, répliqua Hélène. Moi, je crois qu'il est génial.

Une dame, à la stature imposante, âgée d'une cinquantaine d'années entra. Elle déposa un sac à cosmétiques gigantesque sur le comptoir. Elle représenta l'alibi parfait pour permettre de couper court à la conversation. Amélie rectifia une dernière fois son maquillage. Quand Hélène et elle entrèrent dans la salle de réception, Amélie lui souhaita bonne chance et s'en alla de son côté.

Amélie se dirigea vers le bar. Elle essaya d'imaginer Kevin et Hélène ensemble. Si Amélie avait été plus proche d'Hélène, elle aurait pu la conseiller sur la façon d'attirer l'attention de Kevin. Elle aurait même pu lui offrir de jeter Kevin dans ses bras. Mais elle n'en avait rien fait. Pourquoi? Amélie et Hélène se connaissaient à peine, certes, mais là n'était pas la raison. En fait, Amélie connaissait trop bien Kevin. Et le jour n'était pas encore arrivé où elle présenterait une fille à son «petit frère».

La première consommation était gratuite. Amélie commanda un Seven-Up, puis regarda autour d'elle. Plusieurs personnes avaient été invitées pour la soirée seulement, et, comme il n'était que sept heures, il n'y avait donc dans la salle que les mêmes visages familiers. La musique jouait à tue-tête. Amélie décida d'aller se mêler aux invités. Les tables avaient été pliées et empilées dans un coin de la salle et on voyait maintenant le plancher de danse. Par petits groupes, les gens étaient éparpillés çà et là dans la salle mal éclairée. Quatre enfants occupaient le milieu de la piste et improvisaient la danse des canards. Amélie remarqua dans le fond de la salle une silhouette qui agitait la main. Amélie s'avança dans sa direction.

— Bienvenue au club le plus *in* en ville, lui dit Kevin en lui faisant un clin d'œil.

Il enleva sa veste, dénoua sa cravate et détacha le premier bouton de sa chemise.

— Veux-tu danser?

Amélie lança un coup d'œil sur la piste puis sur Kevin, et elle comprit que son invitation n'était pas sérieuse. Ils bavardaient en riant quand elle vit Hélène apparaître au même endroit où elle-même s'était trouvée quelques instants plus tôt. Amélie lui fit signe d'approcher.

— Tu devrais inviter Hélène à danser, dit Amélie à Kevin. Je suis certaine qu'elle accepterait.

Voilà! pensa Amélie, j'ai fait mon effort de guerre! Kevin ne répondit pas et c'est à peine s'il salua Hélène lorsqu'elle s'assit avec eux. Il se mit à faire le clown.

— Est-ce qu'il est comme ça à l'école? demanda Amélie à Hélène.

Même si Amélie fréquentait la même école que Kevin, elle ne le voyait que très rarement, sauf dans l'autobus.

— Ça dépend de son auditoire, répondit Hélène.

Kevin cessa ses pitreries sur-le-champ et un éclair mauvais traversa ses yeux. Amélie se demanda si elles l'avaient offensé sans le vouloir. Mais au même moment, elle sentit des lèvres effleurer ses épaules nues. Elles appartenaient à Éric Lachapelle, son petit ami. Amélie se retourna et l'embrassa sur les lèvres. Puis il enleva son blouson de cuir, le suspendit sur le dossier de la chaise voisine d'Amélie et déposa son casque de moto sur la table. Finalement, il s'assit.

— Tu connais Kevin, dit Amélie sur un ton cérémonieux.

— Je l'ai déjà vu.

Éric fit un signe de tête à Kevin qui lui rendit la politesse.

— Et je te présente Hélène.

— Salut!

À l'expression de son visage, il comprit qu'Hélène s'attendait à plus qu'une simple salutation.

— Heureux de te rencontrer, ajouta-t-il à contrecœur.

Pour meubler le silence, Amélie se lança dans un long monologue au sujet du mariage. Et quel compte rendu! À l'entendre, on aurait pu penser qu'elle décrivait le mariage de Céline Dion! Puis elle demanda à Éric comment s'était passée sa journée, il lui raconta qu'il était allé se balader avec des amis.

— Ils voulaient que je passe la soirée avec eux et que nous fassions la tournée des grands ducs, mais je leur ai dit que je t'avais promis…

— Je suis contente que tu sois venu.

Amélie passa un bras autour des épaules d'Éric et posa ses lèvres sur les siennes pendant ce qui lui sembla durer une éternité. Il y aurait bientôt trois mois qu'elle fréquentait Éric et cela constituait tout un record de longévité en soi. Toutes ses amies l'enviaient. Elles rêvaient toutes d'un beau cégépien au corps athlétique. Éric avait des yeux couleur noisette et une chevelure abondante. Amélie était la première fille qu'il fréquentait de façon assidue. Et elle avait bien l'intention de s'accrocher à lui.

Quand elle se détacha d'Éric, Amélie remarqua que cette démonstration d'affection avait embarrassé Hélène et Kevin.

— Désolée, dit Amélie. Vous savez comment c'est. Nous nous sommes tellement ennuyés!

— Ah, arrête de faire ta fraîche, Amélie, siffla Kevin.

Amélie se mordit la langue, elle était vexée. Cela faisait des lunes que Kevin ne lui avait parlé sur ce ton. La dernière fois, il avait dix ans. Il lui avait fait une crise de jalousie parce qu'elle ne s'occupait plus de lui depuis qu'elle étudiait au secondaire. L'atmosphère resta tendue. Éric était d'un naturel peu bavard et ce soir il était particulièrement réservé. Hélène essaya de faire parler Kevin de l'école, mais il continua d'être de mauvais poil. Amélie prit donc sur elle d'alimenter la conversation, toutefois elle fut rapidement à court de sujets. Elle espérait intérieurement que d'autres invités se joignent à eux.

La musique changea subitement de rythme. Le *DJ* demanda aux nouveaux mariés d'ouvrir le bal. Ils avaient choisi de danser au son d'une chanson de Whitney Houston qu'Amélie détestait. Puis le *DJ* enchaîna avec une vieille chanson des Jackson Five.

— Allez, tout le monde, venez!

Amélie sourit à Kevin et à Hélène, puis entraîna Éric qui la suivit à regret. Kevin et Hélène, remarqua Amélie une fois blottie contre Éric, étaient toujours assis, les bras croisés. Kevin n'avait visiblement pas compris le message. Qu'aurait-elle pu faire de plus? La chanson touchant à sa fin, Éric l'embrassa avec passion. La boule de cristal suspendue au-dessus de la piste tournoya et les éclaira de ses rayons. La soirée connaissait un nouveau départ. Éric lui murmura des mots à l'oreille. Il lui arrivait parfois d'être très romantique, le plus souvent au moment où Amélie s'y attendait le moins.

— J'ai quelque chose à te proposer, lui dit-il doucement. Sortons d'ici avant que je n'y meure d'ennui.

2

Kevin était assis dans l'auditorium et s'ennuyait ferme. Son professeur titulaire, Mme Bouchard, parlait d'une voix endormante de l'année scolaire qui commençait.

— Vous voici en quatrième secondaire. Cela fait donc dix ans que vous fréquentez l'école…

Kevin laissa son regard errer autour de lui. Laurent Saulnier, assis dans la rangée devant lui, tenait son ballon de football sous son menton, prêt à aller jouer dehors. Dans une autre rangée en avant de lui, il y avait Martin Pageau, son meilleur ami, qui lui avait d'ailleurs promis de lui prêter sa copie du magazine *Amiga*.

À deux places de Martin, il y avait Hélène Scott avec qui il avait dansé au mariage. Kevin aimait bien Hélène et ses longs cheveux blonds, son sourire invitant. Elle était sympathique. Mais il espérait qu'elle ne s'était pas mise en tête de sortir avec lui. Il n'était pas encore prêt à sortir avec une fille. Une fois qu'on commençait cela, la vie devenait beaucoup plus compliquée: du moins était-ce ce que ses amis et lui en avaient conclu.

D'un autre côté, pensa Kevin, il est évident qu'Hélène m'aime bien et qu'elle n'est pas le genre de fille à causer des problèmes. J'aurais pu tomber plus mal.

Mais il y avait aussi Amélie.

Kevin ne voyait pas quelle fille pourrait arriver à la cheville d'Amélie Fontaine. Elle avait été sa meilleure amie jusqu'à ce qu'il ait eu dix ans et qu'elle entre au secondaire. Et ils étaient encore assez intimes. C'était grâce à Amélie que Kevin se sentait à l'aise avec les filles. Elle lui avait souvent confié ses soucis. Récemment, les problèmes d'Amélie étaient surtout en rapport avec les garçons. Leur prochaine conversation, Kevin en était certain, serait au sujet d'Éric. Amélie et Éric s'étaient sûrement disputés, car ils avaient quitté la réception très tôt le samedi soir. Kevin espérait qu'Amélie laisserait tomber ce garçon au blouson de cuir et à la moto. Éric se prenait pour un surhomme et Kevin était persuadé qu'il se fichait bien d'Amélie. Il ne s'intéressait à elle que pour une chose.

Tout à coup, Kevin se rendit compte qu'on avait prononcé son nom. Hélène Scott s'était retournée et lui souriait. Elle se leva. Kevin réalisa qu'il avait fixé son regard sur elle alors qu'il pensait à Amélie. Hélène s'imaginerait sûrement que… oh, et puis après tout, quelle importance les pensées d'Hélène pouvaient-elles bien avoir? Kevin se tourna vers Christian Monet qui était assis à côté de lui.

— J'étais dans la lune. Qu'est-ce qu'elle dit?

— Elle énumère les noms des élèves qui ont cours d'anglais. Tu devrais déjà être en rang.

Kevin ramassa son sac et suivit Hélène jusque dans le corridor. Elle l'attendait.

— Qui avons-nous?

— Madame Nott.

Kevin approuva de la tête et regarda autour de lui.

Il ne comptait aucun ami parmi ces élèves. Il s'assoirait donc à côté d'Hélène. Le cours d'anglais serait plus agréable.

— Comment a été ta journée?

Six heures et demie plus tard, Kevin était assis dans l'autobus scolaire à côté d'Amélie.

— Ç'aurait pu être pire, répondit-il. Madame Nott en anglais, monsieur Rochette en mathématiques, et un bon match de foot pendant le dîner. Et toi, comment était la tienne?

— Les mêmes platitudes que d'habitude, dit Amélie avec une moue de résignation. Les profs nous ont répété l'importance du respect des échéanciers, et ils nous ont dit que nous commencions l'année la plus importante de notre vie, et cetera, et cetera. Ah, voilà Hélène!

Amélie sourit à sa cadette. Hélène lui répondit timidement, d'un sourire qu'elle dirigea plus à l'attention de Kevin que d'Amélie. Puis, elle alla s'asseoir seule à l'autre bout de l'autobus. Kevin était surpris de la voir prendre place si loin d'eux. D'habitude, elle choisissait une banquette au milieu.

— J'espère que tu as dansé avec elle samedi soir, dit Amélie à Kevin le plus sérieusement du monde.

— Ouais. Après que tu sois partie.

— Elle t'aime bien.

— Je sais.

Kevin était embarrassé. Si Amélie ne changeait pas de sujet, il s'en chargerait.

— En parlant de samedi soir, où étiez-vous passés, Éric et toi?

C'était maintenant au tour d'Amélie d'avoir l'air embarrassé.

— Oh, tu connais Éric…

Kevin ne connaissait d'Éric que ce qu'Amélie lui

en avait dit. D'ailleurs, elle ne tarissait jamais d'éloges à son sujet. Amélie poursuivit.

— Il n'aime pas beaucoup danser et je l'ai fait rester beaucoup plus longtemps qu'il ne l'aurait voulu. Nous sommes rentrés chacun chez nous.

Kevin fit un geste de la tête pour lui signifier qu'il comprenait. Amélie se ferma comme une huître. Elle n'allait tout de même pas raconter sa fin de soirée désastreuse à Kevin! Éric l'avait ramenée chez elle très tôt. Ses parents étant encore à la réception, Éric et Amélie étaient montés dans sa chambre. L'atmosphère avait été agréable durant les deux premières minutes, mais ensuite Éric avait joué les amants indignés et malheureux.

— Amélie, ça fait trois mois que nous sortons ensemble. Tu sais que je suis sérieux!

— Alors, si tu es sérieux, tu pourrais attendre que je sois prête.

— Qu'est-ce que tu penses que je fais depuis trois mois? La plupart des gars auraient…

— Je me fiche de ce que les autres gars auraient fait. Quand ça arrivera, je veux que ce soit parce que nous nous sentons bien ensemble et non pas parce que nous avons la maison pour nous tout seuls…

C'est ce moment précis qu'avaient choisi les parents d'Amélie pour rentrer, ce qui n'avait pas amélioré le climat. Éric était parti aussitôt. Il n'aimait pas se retrouver en compagnie des parents.

— J'espère que tu sais ce que tu fais, jeune fille… l'avait sermonnée sa mère en voyant son air déconfit.

Amélie avait répondu qu'elle savait ce qu'elle faisait et s'était dépêchée d'aller se coucher avant que la conversation ne s'envenime.

Amélie passerait un coup de fil à Éric en rentrant. Ils se parleraient pendant quelques minutes, il lui dirait qu'il avait une rédaction à terminer pour le lendemain. Elle lui dirait qu'elle l'aimait et il lui marmonnerait quelque chose comme «moi aussi» et «à samedi».

D'ordinaire, ils se voyaient deux fois par semaine: ils allaient parfois au cinéma, parfois à des *parties* et d'autres fois, ils faisaient des activités en plein air. Éric n'aimait pas sortir plus de deux fois par semaine et, quand elle se posait la question, Amélie non plus, même s'il leur était déjà arrivé, durant l'été, de se voir jusqu'à cinq fois dans la même semaine. Tous deux considéraient qu'il était maintenant normal qu'ils se fréquentent moins puisque les cours avaient repris. Éric terminait son cégep et Amélie ses études secondaires.

— Hé! oh! c'est beau là-bas dans ta lune? lui demanda Kevin qui s'était levé, car ils devaient bientôt descendre de l'autobus.

— Désolée, dit Amélie, je pensais à Éric.

Elle se leva à son tour. Kevin avança vers la sortie. Il fit un signe de tête à Hélène Scott qui lui sourit timidement. Kevin et Amélie sortirent de l'autobus et marchèrent jusque chez elle en silence. Kevin semblait préoccupé.

— On se voit demain? lui demanda Amélie.

— Ouais, salut!

Kevin rebroussa chemin sans ajouter un seul mot. Il habitait à une rue de chez Amélie. Elle se demanda ce qui clochait avec lui. Kevin n'avait pas l'habitude d'être déprimé.

Une heure plus tard, Kevin était assis, seul dans sa chambre, et il réfléchissait. De la jalousie… voilà ce qu'il ressentait. Kevin détestait l'idée qu'Amélie se fasse du souci à cause d'un imbécile comme Éric Lachapelle. Pourtant, les autres gars qu'elle avait fréquentés auparavant ne l'avaient jamais dérangé.

Pourquoi était-il donc si jaloux? Amélie n'était pas sa blonde et ne le serait probablement jamais. Ils étaient amis, et elle lui faisait assez confiance pour lui confier ses problèmes. Peut-être le temps était-il venu pour Kevin d'avoir une blonde, malgré ce que ses amis en pensaient. Kevin avait remarqué la façon dont Hélène l'avait regardé dans l'autobus, un peu plus tôt. Il avait lu de la jalousie dans ses yeux à elle aussi. Il ne voulait pas qu'elle se fasse des idées au sujet d'Amélie et de lui. Il avait bien aimé être assis à côté d'elle durant le cours d'anglais. Elle lui avait parlé du nouveau film de Tom Cruise qui venait de prendre l'affiche. Peut-être que…

Kevin alla consulter le bottin téléphonique. Scott… Il y avait plusieurs abonnés qui portaient ce nom. Mais une seule famille dans le village de Chelsea, découvrit-il finalement. Il aurait dû l'inviter à sortir de vive voix. Mais ne sachant pas quand ils se retrouveraient seuls, il décida que, de toute façon, il y avait des choses qui se faisaient mieux par téléphone.

— Heu… Allô? Est-ce qu'Hélène est là, s'il vous plaît?

— Oui, qui la demande?

— C'est… heu, Kevin Paquette.

— Ah, bonjour Kevin, lui dit Mme Scott sur un ton plus sympathique. Je vais aller la chercher.

Kevin entendit des pas s'éloigner, des petits coups frappés à une porte, puis un bruit de pas dévalant l'escalier. Il aurait dû prendre le temps de répéter ce qu'il allait lui dire.

— Kevin?

— Salut.

Silence. Comment entreprendre une conversation dans une telle situation?

— Est-ce que je peux faire quelque chose pour toi?

Sa voix était douce et rassurante, ce qui n'enlevait pourtant pas à Kevin son envie de raccrocher.

— C'est pour quand le devoir d'anglais? Pour demain?

— Non, le prochain cours est lundi prochain. Tu es un vrai lunatique, hein? Tu n'as pas encore appris ton nouvel horaire?

— Non, je l'ai égaré, mentit-il. Le cours d'anglais n'était pas trop ennuyant, hein? Finalement, il semble que madame Nott ne sera pas trop sévère.

— Elle le sera, si tu remets tes travaux en retard. Crois-moi, je l'ai eue l'année dernière.

— Oh, dans ce cas…

Il se demanda combien de garçons avaient déjà invité Hélène à sortir avant lui. Il se demanda aussi quels mots ils avaient utilisé pour le faire.

— Autre chose?

— Ouais… fit Kevin avant de prendre une profonde inspiration. Pour le cas où on ne se verrait pas demain — ce qui, soit dit en passant, était presque impossible puisqu'ils prenaient le même autobus —, je me demandais si tu voulais aller au cinéma samedi soir prochain. Voir ce film dont tu m'as parlé.

Pas de réponse. Elle va sûrement refuser, pensa Kevin. Je me suis complètement trompé sur ses intentions.

— Je ne voudrais pas m'imposer, répondit-elle, la voix mal assurée. C'était vraiment si évident que je voulais aller voir ce film avec toi?

— Non, non. J'ai simplement pensé que, tu sais…

— D'accord. Alors tu vas venir me chercher chez moi vers sept heures?

— Sept heures, c'est parfait.

— On se verra demain à l'école, alors.

— Ouais, à demain. Salut.

Kevin raccrocha. Voilà, la glace était brisée. Son

premier rendez-vous… Il se sentait bien. Il aurait eu envie d'en parler à quelqu'un. Il pensa téléphoner à Amélie. Non. Elle serait heureuse pour lui, mais il pouvait attendre. Il verrait d'abord comment ça allait se passer. Déjà, son esprit vagabondait. Il y avait tant de choses à penser… Devait-il payer pour elle? Comment se rendraient-ils au cinéma? Ces petits détails étaient importants, car il tenait à ce que son premier rendez-vous soit un succès.

3

Les deux meilleures amies d'Amélie s'appelaient Chantal et Carole-Anne. Mais elles étaient mieux connues sous les noms de Maxi et Mini. Chantal mesurait environ 1m80 et était bâtie comme un joueur de hockey, tandis que Carole-Anne mesurait trente centimètres de moins et était toute menue. Si on avait demandé à Amélie d'associer la personnalité de Carole-Anne à une émission télévisée, elle aurait choisi un quizz. En effet, Carole-Anne avait toujours l'air d'être terriblement concentrée ou, encore, sur le point d'éclater d'un rire nerveux. Par contre, l'attitude posée de Chantal dans ses faits et gestes, se rapprochait beaucoup plus de l'indifférence.

De prime abord, rien ne laissait penser que Carole-Anne et Chantal puissent être d'excellentes amies. Et pourtant, elles l'étaient. Elles étaient aussi les deux filles de toute l'école avec lesquelles Amélie avait le plus d'affinités. Ni l'une ni l'autre n'avait de petit ami, aussi elles étaient toujours prêtes à écouter les histoires d'amour d'Amélie.

— Alors, tu le vois demain soir? demanda Chantal.

— Oui. Ses parents seront sortis et il veut que j'aille chez lui regarder un vidéo. Mais je lui ai demandé d'aller au cinéma, car j'imagine facilement comment la soirée pourrait se terminer.

— Un vidéo me paraît plus romantique, murmura Carole-Anne.

— Trop romantique, se plaignit Amélie. Vous savez que je suis vraiment amoureuse d'Éric et tout le tralala, mais j'ai l'impression que si je ne couche pas avec lui très bientôt, il va me laisser tomber.

— S'il te laisse tomber pour ça, ça veut dire qu'il n'est pas vraiment amoureux, non? dit Chantal.

Amélie réfléchit.

— Mais nous savons toutes quel argument il utilisera pour me convaincre: «Si tu ne veux pas le faire avec moi, ça veut dire que tu ne m'aimes pas vraiment». Je ne sais jamais quoi répondre à ça.

Chantal haussa les épaules.

— Peut-être a-t-il raison. Sauf que si tu n'es pas prête, alors tu n'es pas prête. Peut-être que c'est parce que tu ne l'aimes pas assez. Ou peut-être que c'est parce que tu ne te trouves pas assez vieille. Il n'y a personne au monde qui devrait te forcer à faire ce que tu ne veux pas faire.

— Il y a des moments où je le voudrais bien, dit Amélie, mais je dois être certaine que c'est ce que je veux vraiment.

Carole-Anne pensait tout autrement.

— Tu as peur, voilà tout. Je crois que Chantal a tort. Ça fait des siècles que tu sors avec Éric. Il t'aime et tu l'aimes. Dès que tu auras couché avec lui à quelques reprises, je suis certaine que tu te demanderas pourquoi tu ne l'as pas fait avant.

Amélie reconnaissait bien là Carole-Anne: positive et pratique.

— Fions-nous à la grande expérience de Carole-Anne! railla Chantal. Non, mais! Si Amélie ne se sent pas bien là-dedans, alors elle ne devrait pas s'en laisser imposer. Pourquoi se presserait-elle? Elle a toute la vie devant elle pour sonder les mystères de l'amour!

Amélie éclata de rire.

— Éric est super beau! insista Carole-Anne. Si tu continues à lui tenir tête, il finira par croire que tu le traites injustement. Et il aura raison. C'est naturel pour un gars de son âge de…

— Ben, voyons! l'interrompit Chantal. Tu ne vas tout de même pas nous servir l'argument des «pulsions naturelles et incontrôlables» des gars de son âge! Cette raison est aussi peu crédible que l'éternel «Attends à ta nuit de noces»!

— N'empêche que c'est exactement ce que me disent mes parents, répliqua Carole-Anne. «Nous avons attendu et notre mariage est solide. Alors, pourquoi ferais-tu autrement?» Voyons, arrivez en ville, les filles!

— Je ne sais toujours pas quoi faire, dit Amélie. Et s'il commençait à se désintéresser de moi?

Chantal secoua la tête de gauche à droite.

— À mon avis, c'est plutôt le contraire qui risque de se produire. Si tu couches avec lui, c'est sûr qu'il s'éloignera et qu'il te traitera comme si tu étais une moins que rien.

— Éric n'est pas comme ça.

Chantal regarda Amélie droit dans les yeux.

— En es-tu bien *certaine*?

C'était une bonne question. Il arrivait parfois qu'Éric l'ignore ou qu'il ait des sautes d'humeur. Quand il était avec ses amis, en train de jouer au billard ou de raconter des histoires dans un pub, il était complètement différent: il devenait bruyant et parfois même agressif. Quand il était avec elle, il semblait n'avoir d'opinion sur aucun sujet. Par exemple, il lui incombait toujours à elle de choisir le film qu'ils iraient voir. Elle finissait presque toujours par opter pour un film qui ne lui plaisait pas plus qu'à lui. Elle en parla à Carole-Anne et à Chantal.

— Mais tous les gars sont comme ça, dit Carole-Anne.

— Jusqu'à un certain point, précisa Chantal. Mais tu n'as pas le choix, Amélie, il faudra que tu t'en accommodes.

— Kevin est différent, répliqua Amélie. Il a ses propres idées et il lui arrive de parler souvent de ses sentiments.

— Mais Kevin n'est pas ton *chum*, lui fit remarquer Chantal. Et il ne le sera jamais. Et si tel était le cas, il agirait différemment avec toi. Tu dis tout le temps que tu le considères comme ton frère.

— Contrairement à moi avec mon frère, babilla Carole-Anne. Je ne peux pas le blairer. Quoique s'il était vraiment mignon, comme Kevin…

— Tu as un faible pour *Kevin*? demanda Chantal en prenant un air choqué. Le petit Kevin?

— Il est plus grand que moi, répliqua Amélie, l'air froissé. Et puis, pourquoi pas?

— Pourquoi ne pas les prendre au berceau tant qu'à y être? la taquina Chantal.

Carole-Anne se mit à rire. Amélie, elle, riait jaune.

Le film s'avéra d'une banalité surprenante. Kevin n'aurait su dire lequel des deux étaient pires: le scénario ou le jeu des acteurs. Mais Hélène avait semblé apprécier. Elle était magnifique, pleine de prévenance et d'une grande simplicité. Durant la projection, Kevin lui tint la main. Il s'était demandé s'il aurait pu pousser ce geste plus loin. S'il y avait eu des scènes d'horreur, il aurait pu la serrer dans ses bras, comme il le faisait avec Amélie lorsqu'ils regardaient des vidéos. Mais le film n'avait rien d'effrayant.

— Et puis, comment as-tu trouvé le film? lui demanda Kevin quand ils furent dans le hall d'entrée du cinéma.

— Assez bon. Mais toi, tu l'as trouvé moche, hein?

— Comment le sais-tu?

— Tu n'as pas arrêté de bouger sur ton siège, comme lorsque tu assistes à des cours ennuyants.

— Et comment sais-tu comment j'agis durant ces cours?

Hélène lui adressa un sourire énigmatique.

— Je t'observe depuis un bon moment déjà, Kevin Paquette.

Kevin sourit à son tour et passa son bras autour de ses épaules. Il posa ce geste de façon toute naturelle. Hélène glissa son bras autour de sa taille et, quelques secondes plus tard, ils s'embrassèrent. Ce fut un baiser timide, un effleurement des lèvres. Mais c'était un premier baiser. Kevin savait que désormais, il pourrait l'embrasser quand il lui plairait.

— Salut! dit Hélène. Quel film êtes-vous allés voir?

Kevin se retourna et vit qu'Amélie et Éric étaient là. Il se contenta de les saluer d'un signe de la tête. Amélie paraissait troublée.

— *Amour sauvage*, répondit Amélie. C'était assez bon. Et vous, quel film avez-vous vu?

Kevin la renseigna.

— C'était pas mal aussi, mentit-il, car il tenait à ce qu'Amélie pense que son premier rendez-vous était un succès.

— Et où allez-vous maintenant? poursuivit Amélie.

— Sais pas.

Kevin se retourna vers Hélène.

— Veux-tu aller manger une bouchée avant de rentrer?

— Oui, pourquoi pas?

— Vous allez rentrer comment? En taxi? demanda Amélie. Il n'y a plus beaucoup d'autobus.

— Et si nous n'y allons pas bientôt, il n'y aura plus rien d'ouvert, grommela Éric. Viens-t'en.

Il attrapa Amélie par le bras et ils s'en allèrent. Kevin et Hélène marchèrent en direction d'un restaurant. Puis Hélène s'arrêta net.

— Je n'ai pas vraiment faim, dit-elle. Et toi? En plus, il y a toujours des gens soûls dans le dernier autobus. Prenons l'avant-dernier, ce sera plus calme. Nous prendrons une bouchée une autre fois.

— O.K., c'est comme tu veux.

L'autobus était presque vide. Kevin et Hélène allèrent s'asseoir sur la banquette arrière, derrière deux filles élégamment vêtues. À voir leur tenue, on pouvait supposer que leur petit ami les avaient laissées tomber ou, encore, qu'elles avaient abandonné l'idée d'en trouver un et qu'elles rentraient chez elles bredouilles, juste à temps pour le film de fin de soirée à la télévision.

Dès que l'autobus se mit en route, ils s'embrassèrent avec émotion, comme Amélie et Éric l'avaient fait le soir du mariage. Le baiser procura à Kevin une sensation d'étrange bonheur. Il eut l'impression de réveiller quelque chose en lui, quelque chose qu'il avait toujours su être enfoui au plus profond de son être, mais dont il ne s'était jamais préoccupé auparavant. Les lèvres d'Hélène étaient douces et invitantes et, d'une certaine façon, déroutantes. Kevin ignorait quels gestes devaient normalement accompagner un baiser. Elle baissa les paupières, il ferma les yeux. Combien de temps ce baiser durerait-il? Une minute ou deux plus tard, Hélène se détacha de lui. Devait-il en conclure que c'était la fille qui décidait de la durée d'un baiser?

— C'était bien, dit-elle.

— Très bien.

— Recommençons.

Hélène se blottit tout contre lui. Il pouvait sentir ses seins contre sa poitrine. Quelle sensation enivrante! Kevin aurait souhaité qu'elle dure éternellement. Hélène s'accrochait à lui. C'était génial de savoir qu'elle ressentait les mêmes émotions que lui. Jamais Kevin n'aurait cru qu'il aurait été si bon de se coller contre une fille. Le temps sembla s'arrêter. Avant même qu'ils ne s'en aperçoivent, ils furent arrivés à Chelsea. Kevin réussit à tirer sur la corde juste à temps pour annoncer au chauffeur qu'il devait s'arrêter. Hélène habitait à quelques pas de là et il leur fut impossible de s'étreindre davantage.

— Veux-tu entrer?

— Je ne sais pas.

Kevin connaissait les parents d'Hélène. Lorsqu'il les croisait par hasard, il les saluait. Mais il ne savait pas trop comment assumer son nouveau rôle.

— Ils réagissent comment quand tu amènes un gars à la maison?

— Comment le saurais-je? répondit-elle. Tu es le premier.

Kevin se croisa les mains.

— Je crois que ce sera pour une autre fois.

Une lumière s'alluma dans le vestibule.

— D'accord, mais tu ferais mieux d'y aller maintenant. On se reverra lundi. Bonne nuit.

Elle passa ses bras autour de son cou et l'embrassa furtivement. Puis ils entendirent sa mère l'appeler.

— Hélène, est-ce que c'est toi?

Kevin lui sourit et s'en alla d'un pas pressé, pour s'éloigner avant que la porte s'ouvre.

Il habitait à une bonne distance de chez Hélène, mais peu lui importait d'avoir à marcher si longtemps, même sous la pluie qui s'était mise à tomber. Il avait l'impression de marcher sur un nuage. Il passa devant la maison d'Amélie qui devait être rentrée à présent... Mais il n'y avait pas de lumière dans sa chambre. Peut-être était-elle allée chez Éric. Ou peut-être étaient-ils restés en ville. Peut-être Éric, le dictateur, avait-il les moyens de rentrer en taxi. Éric habitait une maison encore plus imposante que celle d'Amélie, aux limites du village. L'argent attirait l'argent et Kevin le savait. Oui, l'argent menait le monde.

— Et puis, comment cela s'est-il passé avec Hélène? lui demanda sa mère quand il rentra.

— C'était génial.

— Elle m'a l'air d'être une bonne fille.

— Ouais, elle est gentille.

— Alors, tu vas la traiter en gentleman, n'est-ce pas?

— *Oui, maman.*

Kevin lui sourit, puis lui souhaita bonne nuit. Une fois dans sa chambre, il alluma son jeu de Nintendo même si, pour une fois, il n'avait pas vraiment envie de jouer. Il s'allongea sur son lit et passa en revue les événements de la soirée. Il n'arrivait pas à se rappeler ce dont ils avaient parlé. Il avait été moins bavard que d'habitude. Mais il est vrai qu'on parlait peu lorsqu'on était occupé à embrasser. Il se souvint aussi du regard étrange qu'Amélie avait fixé sur lui. On aurait dit qu'elle était surprise de voir que son initiative avait porté fruit (après tout, c'était bien elle qui l'avait incité à parler à Hélène)! D'ailleurs, résolut Kevin, Hélène et lui formaient un couple beaucoup mieux assorti qu'Amélie et Éric. Mais Kevin n'était pas très objectif: les sentiments qu'il éprouvait pour Amélie étaient trop profonds pour qu'il considère que quiconque soit digne d'elle.

Il décida de se coucher. Il devait se lever vers six

heures le lendemain pour aller distribuer ses journaux. Pour la première fois de sa vie, il avait une petite amie. Comme il était étrange de s'endormir avec cette pensée! Que devait-il faire à présent? Et qu'attendrait-elle de lui maintenant? Il n'en avait pas la moindre idée.

4

— Mais qu'est-ce qui cloche avec toi?

Éric se leva pour aller changer la cassette dans le magnétophone. Le rythme langoureux de la musique *soul* fit bientôt place au *heavy metal*. Amélie comprit le message.

— Je ne sais pas, dit-elle. C'est seulement que… j'ai remarqué que… nous nous parlons presque plus depuis quelque temps.

— À quel sujet? demanda Éric sur un ton agressif, car il commençait à perdre patience.

— Oh, je ne sais pas trop… de sentiments, d'opinions… À commencer par ce que tu as pensé du film que nous avons vu ce soir. C'est à peine si tu as parlé quand nous sommes allés manger. Tu te contentais de regarder ton assiette.

— Il n'y avait rien à en dire. C'était un film d'action et les films d'action ne sont pas sensés nous faire *penser*.

— Dis-moi pourquoi nous sommes allés voir ce film dans ce cas.

— Ne me pose pas la question à moi, c'était ton idée!

Amélie se leva. Elle en avait assez entendu.

— Il est tard et je suis fatiguée. Je rentre.

Éric se leva à son tour. Il avait l'air furieux.

— Non, attends! s'écria-t-il. Nous n'avons pas fini de parler.

— Nous n'avons pas commencé! lança-t-elle d'un ton sec.

Le son des guitares et de la batterie lui emplissait et lui donnait mal à la tête. Le chanteur avait une voix épouvantable. Amélie parvenait à peine à distinguer certaines des paroles qu'il crachait. D'après lui, les femmes n'étaient que des objets qu'on adorait pendant un instant et qu'on utilisait et surutilisait l'instant suivant. Si Amélie avait osé demander à Éric pourquoi il aimait cette musique, il lui aurait probablement répondu que les paroles se voulaient amusantes et que de toute façon personne n'y faisait vraiment attention.

— Je m'en vais.

Amélie prit sa veste de laine et l'enfila. Éric la saisit par l'épaule. La colère l'enlaidissait.

— Tout le monde m'a averti quand j'ai commencé à sortir avec toi. On m'avait dit que tu jouerais avec moi et que tu as l'habitude de laisser tomber tes *chums* dès que les choses deviennent plus sérieuses. Tu n'es qu'une allumeuse insensible, tu le sais ça?

— Ouais, tu as raison, répondit Amélie sur un ton sarcastique. La reine de la glace, c'est moi!

Éric fit comme s'il n'avait pas entendu cette dernière remarque.

— La seule raison pour laquelle tu veux un *chum*, c'est pour pouvoir te pavaner devant tes amies. Et moi, tu m'as choisi parce que j'ai l'air plus vieux que les autres et que j'ai une moto. Tu me dis que je n'ai rien d'intéressant à dire, mais dans le fond, c'est toi qui n'est pas intéressée.

— Ce n'est pas vrai.

Amélie se fâchait elle aussi, et elle était effrayée. Elle n'avait jamais vu Éric dans un état pareil.

— Si c'est vraiment ce que tu penses de moi, poursuivit-elle sur un ton déterminé, peut-être que nous devrions en rester là. Et maintenant, je m'en vais.

Éric ne voulait rien entendre.

— Je veux que tu restes. J'ai envie d'être avec toi!

— Et si je veux rentrer chez moi? répliqua-t-elle, au bord des larmes. Et puis, arrête-moi cette horrible musique!

Éric s'exécuta et Amélie se rassit.

— Je suis tellement confuse. Je ne sais pas ce que je veux. Il y a des moments où nous sommes si proches l'un de l'autre, et d'autres où on dirait que je ne te connais pas.

— Ce n'est pas toujours évident de sortir avec toi, dit-il, l'air toujours fâché. Je ne voulais pas perdre mon sang-froid, mais…

Amélie eut soudainement envie de rester. Éric était si gentil lorsqu'ils se réconciliaient. Mais elle ne pouvait pas sortir le drapeau blanc, elle ne pouvait pas lui montrer sa vulnérabilité…

— Prenons une semaine de congé, proposa-t-elle. Après une semaine passée sans se voir, nous saurons sûrement nous apprécier. Je ne voudrais pas que notre histoire se termine comme ça.

Éric fixa Amélie du regard. Il se calmait. Amélie l'enlaça par la taille et serra son corps tendu contre le sien.

— Je vais te conduire chez toi.

— Non, tu as bu. Je vais marcher.

Dès le début de sa relation avec Éric, elle avait promis à ses parents de ne jamais monter sur sa moto-cyclette lorsqu'ils avaient bu de l'alcool. Elle avait la permission de consommer de l'alcool et ses parents lui faisaient confiance pour qu'elle le fasse intelligemment. Mais cette confiance ne s'étendait pas jusqu'à ses amis. C'était d'ailleurs par mesure de précaution qu'ils avaient pris un taxi pour aller en ville ce soir-là.

— Je n'ai bu que deux bières et ça fait presque une heure et demie, protesta-t-il. Tout l'alcool est sorti de mon système.

— Oui, mais quand même…

— Je veux te ramener chez toi, insista Éric d'une voix doucereuse. Quand tu penseras à moi cette semaine, je veux que tu te souviennes de notre balade en moto.

Amélie esquissa un sourire faible.

— D'accord. Mais tu t'arrêteras à quelques pas de chez moi. Je ne voudrais pas que mes parents nous entendent arriver en moto.

Elle passa le casque protecteur qu'Éric lui remit. Il fit démarrer le moteur et elle grimpa sur la selle derrière lui. Elle s'agrippa énergiquement à ses épaules. Ils avancèrent dans la nuit faiblement éclairée par la lune. La maison d'Éric faisait face à la route qui longeait le parc de la Gatineau, à quelque cinq kilomètres de chez Amélie. Dès qu'ils furent sur la route, Éric étrangla le moteur.

— Pas trop vite! s'écria Amélie pour qu'il l'entende malgré le ronflement du moteur.

Mais, qu'il l'ait entendue ou non, Éric l'ignora. Il roulait maintenant à une vitesse folle, vitesse qui procurait des sensations d'ivresse et de peur tout à la fois. Amélie voyait l'aiguille du compteur monter en flèche: 50, 60, 70, 75…

— Ralentis! cria-t-elle.

Pour toute réponse, Éric accéléra. Il devrait freiner sous peu, car ils allaient entrer dans le village. Il vira beaucoup trop rapidement au carrefour. Amélie était sûre qu'ils auraient un accident et priait Dieu de lui sauver la vie. Les devantures des maisons et des boutiques filaient à toute allure sous ses yeux. Éric continuait de dépasser la limite de vitesse permise. Amélie avait provoqué en lui une colère immense et il tenait à ce qu'elle s'en rappelle. Elle espérait qu'une voiture de police surgisse.

Mais, comme d'habitude, rares étaient les voitures de police dans ce bled perdu. Éric immobilisa finalement la moto devant l'entrée. Pourtant, elle lui avait demandé de ne pas la déposer en face de chez elle, pour que ses parents ne l'entendent pas arriver en moto. Mais elle était trop soulagée de se voir saine et sauve pour reprocher à Éric de ne pas l'avoir écoutée. Elle descendit de la moto et lui remit le casque.

— Bonne nuit.

Éric enleva son casque. Des rayons de lune tombaient sur ses cheveux défaits. Jamais auparavant il n'avait été aussi beau.

— Je t'aime, dit-il.

Amélie le regarda intensément. Puis, sans dire un mot, elle tourna les talons et marcha jusqu'à la porte de la maison. Au moment où elle insérait la clé dans la serrure, elle entendit Éric faire vrombir le moteur en s'éloignant.

L'horloge du couloir indiquait une heure. Amélie entendit une porte s'ouvrir. Un instant plus tard, sa mère se tenait sur la dernière marche de l'escalier.

— Amélie! Je croyais que nous t'avions dit de ne pas laisser Éric…

— Oublie ça, maman, l'interrompit-elle. Je ne le reverrai plus.

— Ah.

Sa mère descendit l'escalier.

— Vous vous êtes disputés?

Elle sortit un mouchoir de sa poche de robe de chambre et le tendit à Amélie. Ce ne fut que lorsqu'elle prit le mouchoir, qu'Amélie se rendit compte qu'elle pleurait.

— Pas vraiment, répondit-elle en repensant à ce qui venait de se passer. En fait, je ne sais pas très bien comment nous en sommes arrivés là.

— Mais il a rompu? demanda sa mère d'une voix où perçait l'inquiétude.

— Non. C'est moi qui ai *cassé*. En tout cas, c'est moi qui vais le faire officiellement.

— Dans ce cas, tu ne devrais pas avoir trop de peine, hein?

Amélie se remit à pleurer.

— C'est difficile à expliquer. Mais je crois… que si je ne romps pas la première, il va me laisser tomber de toute façon. Peut-être pas la semaine ou le mois prochain, mais un jour ou l'autre il le fera.

La mère prit sa fille dans ses bras.

— Je ne comprends rien à ce que tu me racontes. Attends un peu. Je reviens tout de suite.

Et elle disparut dans la cuisine où elle prépara la boisson nocturne préférée d'Amélie: un chocolat chaud. Lorsqu'elle revint auprès d'Amélie, celle-ci ne pleurait plus.

— Est-ce qu'il te paraissait moins amoureux?

— Oui. Non. Peut-être. Mais je ne suis pas certaine que j'en reconnaîtrais les signes.

Sa mère secoua la tête de gauche à droite.

— Oh, je suis sûre que tu les reconnaîtrais, Amélie. Y a-t-il un autre garçon dans le décor?

Amélie parut offensée par l'allusion.

— Non! Bien sûr que non! Pour qui me prends-tu?

— Je pense que tu es une fille qui n'a pas encore dix-sept ans et qui ne sait pas encore ce qu'elle veut.

Amélie hocha la tête.

— Oui, je crois que tu as bien résumé ma situation.

— Va te coucher, ma chérie. La nuit porte souvent conseil.

Amélie monta dans sa chambre avec sa tasse de chocolat chaud. Mais elle n'arrivait pas à dormir. Elle était trop troublée. L'image d'Éric, les cheveux en bataille, lui déclarant son amour sous le clair de lune lui revenait sans cesse. Mais une autre image venait se juxtaposer à la première, même si elle n'en comprenait pas la raison. Amélie revoyait Kevin avancer bras dessus, bras dessous avec Hélène Scott à la sortie du cinéma. Elle se souvenait de la tendresse avec laquelle Kevin avait embrassé Hélène avant qu'il ne se rende compte qu'Amélie les regardait, et le sourire qu'il lui avait fait… Elle ignorait pourquoi elle avait eu cette réaction. Chose certaine, elle avait eu l'impression d'être poignardée en plein cœur. Et cette impression continuait de la tenailler.

— Alors, qu'est-ce que tu as fait hier soir?

Dimanche après-midi, Kevin s'était rendu chez Martin où ils regarderaient ensemble les prouesses de Jacques Villeneuve à la télévision.

— Je suis allé au cinéma.

— Tout seul?

Martin ne posait pas la question parce qu'il se sentait délaissé par Kevin, mais bien parce qu'il était curieux. Martin croyait, par ailleurs, que le cinéma était une perte de temps et d'argent. Il préférait regarder les films sur bande vidéo.

— Non. J'y suis allé avec Hélène Scott.

— *Hélène Scott? Celle* du village? demanda Martin, incrédule.

— En effet.

Martin prit un air plus sérieux.

— Tu es un gars bizarre, Kev. Je croyais que tu avais dit que…

Kevin haussa les épaules.

— Un jour ou l'autre, il faut bien se mettre à

fréquenter les filles, non?

Martin paraissait sceptique.

— Ouais, mais Hélène… je ne veux pas dire qu'elle n'est pas bien, mais je pensais qu'Amélie était la seule qui t'intéressait.

Kevin sourit.

— C'est vrai. Amélie et Madonna. Mais je ne suis pas de leur calibre.

— Je ne sais pas, dit Martin en secouant la tête énergiquement. Mais j'ai entendu dire que Madonna préférait les gars plus jeunes qu'elle…

Ils éclatèrent de rire. La course commença. Kevin était content que Martin ait si bien pris la nouvelle. Bien sûr, Kevin s'attendait à ce qu'on se moque un peu de lui à l'école quand les rumeurs iraient bon train, mais il était prêt à affronter ses camarades. Il avait tenu à ce que Martin soit le premier à apprendre la nouvelle. Enfin… Martin et Amélie. Mais Amélie était déjà au courant. Kevin pensa qu'elle devait être heureuse pour lui. Après tout, n'était-ce pas elle qui les avait rapprochés, Hélène et lui, le soir du mariage? Mais tout de même, il s'était senti bizarre quand il l'avait vue au cinéma. Et que dire de ce regard qu'elle lui avait adressé? Maintenant qu'il y repensait, Amélie aurait vu un fantôme et sa réaction n'aurait pas été différente.

D'ordinaire, il aurait fait un saut chez Amélie en revenant de chez Martin. Ils arrivaient souvent chez l'un ou chez l'autre à l'improviste. Mais Kevin la visitait plus souvent parce qu'elle habitait une plus grande maison que la sienne. Mais aujourd'hui, il ne se sentait pas le cœur d'aller la voir. Elle attendrait sûrement qu'il lui raconte sa soirée dans les moindres détails, et il n'avait pas envie de partager ces moments avec elle. Enfin, pas pour le moment. Il n'avait d'ailleurs pas plus envie de l'entendre lui raconter ses histoires avec Éric. Par contre, s'il ne se montrait pas le bout du nez de toute la fin de semaine, Amélie pourrait penser qu'il lui en voulait. Bon. Je vais la laisser venir à moi. Sinon, je la verrai dans l'autobus après l'école.

— Wow! Quel virage!

— Quoi?

Kevin cligna des yeux devant l'écran et attendit la reprise. Martin le regarda d'un air condescendant.

— Tu ne l'as pas vu, hein?

Kevin fit oui de la tête.

— Qu'est-ce qui t'arrive? Il suffit que tu sortes avec une fille une seule fois pour que tu sois tout à coup distrait? Je ne vois pas comment tu aurais pu subitement t'amouracher d'Hélène Scott alors que tu la connais depuis toujours.

— Non, ce n'est pas ça. C'est seulement que… eh bien, les choses commencent à se compliquer.

Martin grimaça un sourire.

— Voilà exactement ce que nous avons toujours dit, non? Dès que tu te mets à sortir avec une fille, ta vie ne t'appartient plus et tu oublies tes copains. Tu as toujours dit que tu ne te laisserais pas prendre, Kevin. Tu refusais les complications…

Kevin asséna un coup de poing amical à son ami.

— C'est vrai. Pas de complications.

Ils fixèrent leur attention sur l'écran. Pas de complications, pensa Kevin. Facile à dire. Mais que faisait-on lorsque les sentiments qu'on éprouvait se compliquaient réellement?

5

Enfin, la journée était finie! Retenue en classe de mathématiques, Amélie arriva à l'autobus une minute avant le départ. Les lundis étaient toujours pénibles, mais celui-ci lui avait paru plus long que tous les autres. Un sentiment de culpabilité l'avait occupée pendant toute la journée. Elle regrettait d'avoir rudoyé Éric. Après tout, Éric était toujours *le même*. C'était elle qui avait changé. Et pendant toute la journée, elle avait attendu le moment propice pour en parler avec Kevin.

Amélie grimpa dans l'autobus et avança dans l'allée. Où donc était Kevin? D'habitude il leur réservait une place à l'arrière. Comme elle, il avait dû être retenu en classe. Heureusement, il restait une banquette libre. Puis elle le vit. Kevin était assis dans l'avant-dernière rangée. Il la regardait en lui faisant une moue d'excuse. Elle comprit la raison de son embarras: Kevin était assis avec Hélène Scott.

Elle alla s'asseoir seule. Elle était furieuse, bien qu'elle sache qu'elle n'avait aucun droit de l'être. Sa journée moche se terminait donc de façon moche. Mais à quoi s'était-elle attendue au juste? Maintenant que Kevin avait une petite amie, il était plus que normal qu'il soit en sa compagnie! Amélie n'aurait pu être plus malheureuse. En deux jours, elle avait réussi à perdre et son petit ami, et son meilleur ami.

— Est-ce que cette place est libre?

À contrecœur, Amélie fit oui de la tête. Son interlocuteur s'appelait Charles Gilbert et, comme elle, il était en cinquième secondaire. Charles était un garçon plutôt costaud et mal fagoté. Depuis un an, il était amoureux d'Amélie, mais il n'avait jamais réussi à rassembler le courage nécessaire pour l'inviter à sortir. Amélie s'était toujours montrée polie envers lui. Non pas qu'il lui plaisait, mais plutôt parce qu'elle le craignait. Il n'était pas toujours facile de refuser les avances d'un garçon, et Charles n'était pas du genre à comprendre facilement qu'on ne s'intéressait pas à lui. Pour s'en débarrasser, il aurait fallu qu'Amélie se rende détestable au possible, ce qui du reste elle n'était pas tout à fait prête à faire.

— Tu ne t'assois pas avec ton petit *chum*, aujourd'hui? demanda Charles sur un ton sarcastique.

— Kevin n'est pas mon *chum*. Et il est assis avec sa blonde dans l'avant-dernière rangée.

— Aaaah! Paquette a une blonde! s'écria Charles de sa voix de voyou.

Amélie fut mal à l'aise pour Kevin. Cela ne lui ressemblait pas de parler sans avoir tourné sa langue sept fois dans sa bouche.

— Alors, tu vois toujours ce gars, celui qui venait à Mont-Bleu… comment s'appelle-t-il… Éric? lui demanda Charles.

— Oui, mentit-elle.

— Il finit son cégep cette année, non?

Elle fit un signe de tête affirmatif. Charles continua de se mêler de ce qui ne le regardait pas.

— Et ensuite, il va aller à l'université?

— Je suppose.

Amélie devinait où il voulait en venir.

— Et toi? Vas-tu aller au cégep?

Charles savait pertinemment qu'elle détestait l'école, tout comme lui, et qu'elle en sortirait dès qu'elle le pourrait.

— Non, répondit-elle. Je vais aller vivre avec Éric, ailleurs, dans une autre ville.

Charles ne cacha pas sa surprise.

— Vraiment?

— Vraiment. Je vais trouver du travail comme mannequin, sinon comme effeuilleuse pour nous faire vivre, parce que comme tu le sais, les étudiants ne peuvent plus trop compter sur les prêts et bourses pour mettre du beurre sur leur pain.

Même Charles, qui n'était pas très brillant, s'aperçut qu'Amélie se moquait de lui. Il ne lui parla plus du reste du trajet et ne la salua même pas lorsqu'il se leva pour sortir de l'autobus, trois arrêts avant elle.

Amélie descendait de l'autobus quand Kevin la rejoignit. Heureusement, il n'était pas allé chez Hélène après l'école.

— Ça ne t'a pas trop dérangé que je ne me sois pas assis avec toi? demanda-t-il timidement une fois qu'ils furent seuls. J'espérais que tu comprendrais.

— Ça va.

Ils commencèrent à marcher en direction de chez Amélie.

— Je t'ai attendue hier, reprit-il.

— Je t'ai attendu aussi.

Kevin marqua une pause.

— Es-tu fâchée contre moi?

— Non, pourquoi le serais-je? C'est juste que…

Aussi bien qu'il le sache, pensa-t-elle.

— J'ai cassé avec Éric samedi soir et ça me perturbe un peu.

— Je ne savais pas… tu aurais dû m'appeler. Amélie…

Kevin l'entoura spontanément de ses bras et la serra contre lui. Même s'il n'avait jamais aimé Éric, il savait que le moment aurait été mal choisi pour parler contre lui. Amélie paraissait terriblement chagrinée.

— Veux-tu en parler?

Amélie avait penché sa tête de façon à ce que ses cheveux lui couvrent le visage.

— Ouais, j'imagine.

Ses parents n'étaient pas rentrés du travail. Elle prépara deux collations qu'ils montèrent dans sa chambre. La pièce était spacieuse (deux fois plus grande que la chambre de Kevin) et contenait, entre autres, un lit double, une chaise en rotin, des plantes, des coussins et quelques reproductions d'œuvres d'art. Kevin remarqua que la photo d'Éric avait disparu du miroir de la commode. Il eut presque envie de s'en réjouir à haute voix, mais se dit qu'il ferait preuve d'un manque de tact.

— Qu'est-ce qui s'est passé? lui demanda-t-il d'une voix remplie de sympathie.

Amélie ignora la question.

— T'es-tu bien amusé avec Hélène samedi soir?

Peut-être n'avait-elle pas envie de parler d'Éric après tout.

— Euh, ouais… c'était bien.

— Quel film êtes-vous allés voir?

Il était certain de le lui avoir déjà dit, mais il le lui répéta et lui résuma l'histoire en quelques mots.

— Alors, où l'emmènes-tu la prochaine fois?

— Je ne sais pas.

Kevin s'était attendu à ce qu'elle lui pose des questions sur le reste de la soirée. Amélie lui racontait toujours ses sorties dans les moindres détails. Mais elle ne lui posa plus de questions. Un silence étrange s'installa.

— Comme je te l'ai déjà dit, j'ai cassé avec Éric,

dit-elle au bout d'un moment.

— *Tu* as cassé?

— C'est ce que je viens de te dire.

— Pourquoi?

Évidemment, il allait de soi que c'était Amélie qui avait mis fin à la relation. Amélie était de celles qui quittent et qu'on ne quitte jamais. C'était d'ailleurs toujours ce qu'elle faisait dès qu'un garçon devenait trop possessif et entreprenant. Kevin comprit qu'elle ne répondrait pas à sa question.

— Je croyais que tu avais le béguin pour lui.

— En effet, et lui pour moi. Mais…

Amélie le regardait d'une étrange façon.

— Tu sais, il arrive parfois, quand je suis avec un gars, et je ne parle pas d'un *chum*, mais de n'importe quel gars, de mon âge ou plus vieux, que je me sente comme un morceau de viande sur un étal. Comme si mon vrai moi n'était pas là. Ils regardent mon visage et mes formes et me compliment. Ils prétendent ensuite qu'ils ne me déshabillent pas des yeux… mais ils ne se préoccupent pas de moi. Ce que je suis ou ce que je pense ne les intéresse pas. Est-ce que tu comprends ce que je veux dire?

— Je crois, oui, répondit Kevin. Ils n'ont que le sexe en tête.

Amélie acquiesça de la tête.

— Les filles aussi sont comme ça. Elles pensent que parce qu'une fille est jolie, tout lui réussit et qu'elle n'a pas le droit de se plaindre. Chantal et Carole-Anne m'ont toutes les deux dit aujourd'hui que j'avais été folle de casser avec Éric. Puis Carole-Anne a ajouté qu'avec l'allure que j'ai, je peux bien me permettre d'en laisser tomber un puisque de toute façon il me sera facile de le remplacer. Comme si ce fait avait influencé ma décision.

— Et ce n'est pas le cas?

Amélie fit un non catégorique de la tête.

— Non! C'est seulement que… je ne pensais pas qu'Éric s'intéressait à moi en tant que personne. Sa seule intention était de me montrer à ses amis, comme si j'avais été un trophée.

Elle ne parla plus pendant un moment.

— Mais peut-être que je suis injuste. Peut-être que tous les gars sont comme ça.

Kevin avala la dernière gorgée de son verre. Amélie se demanda à quoi il pensait. Kevin n'avait pas prononcé un seul mot contre Éric, même s'il avait toujours laissé entendre qu'il ne l'aimait pas. Peut-être que son sort ne l'intéressait plus parce qu'il pensait à Hélène.

Il se leva.

— Je dois m'en aller, dit-il. Je vais faire mes devoirs chez Hélène et je n'ai pas encore averti ma mère.

— Téléphone-lui.

— Mais je dois me changer.

— Oh, d'accord.

Il lui adressa un large sourire enfantin.

— Je suis convaincu que tu as fait ce qu'il fallait avec Éric. C'est normal de vouloir être avec quelqu'un qui nous aime pour ce que l'on est et avec qui on rit facilement.

— Je suppose.

Kevin se tenait sur le seuil de la porte, sa chemise blanche gonflée par la brise de septembre. Il sourit à nouveau, puis balança son sac sur son épaule et emprunta l'allée pavée.

Amélie se versa un autre verre de jus et remonta dans sa chambre. C'était stupide d'être vexée du fait que Kevin ait une petite amie. Après tout, cela devait se produire un jour. Surtout que jamais elle ne sortirait avec un garçon de cet âge. En fait, elle aurait souhaité un *chum* plus vieux, plus mature, qui aurait su reconnaître la valeur d'une relation plutôt que de n'y chercher que le plaisir physique. Fatiguée, Amélie s'allongea sur son lit et attendit de s'endormir. Mais elle resta éveillée. Elle pensa à Kevin qui s'en allait chez Hélène. S'il n'avait pas été si pressé de partir, elle aurait pu lui expliquer quelle serait sa vie, maintenant qu'il était amoureux.

Lorsqu'Amélie avait fréquenté Michel Roy, alors qu'elle avait quatorze ans, elle était allée souper chez lui. L'expérience avait été désagréable. Michel avait été muet comme une carpe, et Amélie avait dû user de son imagination pour entretenir la conversation avec sa mère et son frère (le père de Michel ne vivait pas avec eux). Mme Roy s'était perdue en conjectures pour savoir ce que ferait Amélie après son secondaire. Elle avait paru choquée quand cette dernière lui avait annoncé qu'elle n'avait aucune intention d'aller à l'université et qu'elle ne serait ni infirmière ni professeur.

— Je suis sûre que tu trouveras un emploi comme secrétaire… avait-elle dit sur un ton de doute.

Le frère de Michel, Serge, lui avait suggéré de devenir mannequin. Elle avait ce qu'il fallait. Une semaine plus tard, elle avait rompu avec Michel et Serge lui téléphonait pour l'inviter à sortir. Il avait paru offusqué de son refus. Il avait réussi à se convaincre qu'Amélie n'avait fréquenté Michel que dans le but inavoué de se rapprocher de lui, Serge, pour qui elle avait forcément le béguin. Depuis, Amélie évitait d'aller souper chez un garçon. Elle se demanda si Kevin se souvenait de cette histoire et si, ce soir, il vivrait le même embarras. Probablement que non. Amélie connaissait bien Kevin pour savoir que personne ne pouvait résister à son charme. Même pas elle.

6

Pour Martin, Christian et Kevin le sujet de conversation du jour tournait autour du nouveau jeu vidéo *Debaser*. Chacun leur tour, ils exposaient leur théorie sur la meilleure manière de ne pas se faire abattre au bout de cinq minutes.

— Attention, dit Martin en jetant un coup d'œil par-dessus l'épaule de Kevin, ta plus fidèle admiratrice s'en vient.

Kevin regarda autour de lui. Hélène le salua discrètement d'un geste de la main. Kevin lui sourit, mais il sentit sa bonne humeur le quitter. Cela faisait près d'un mois qu'Hélène et lui sortaient ensemble et elle commençait à s'immiscer dans toutes les facettes de sa vie. Il la voyait dans l'autobus, pendant les cours, les récréations, les fins de semaine et même une ou deux fois dans la semaine. Cette relation commençait à lui peser. Il se leva néanmoins pour aller la rejoindre. Martin et Christian n'avaient pas de temps à perdre avec Hélène. D'après eux, Hélène n'était qu'une fille stupide, souvent ennuyeuse, si ce n'était pas les deux à la fois. Il arrivait à Kevin de penser la même chose qu'eux.

— Salut!

C'était une belle journée d'automne. Kevin et Hélène sortirent dans la cour. Ils pourraient avoir une conversation plus privée. Dès qu'ils furent dehors, Hélène prit Kevin par la main. Heureusement, Hélène ne posait pas ces petits gestes devant les amis de Kevin. La devanture de l'école n'avait rien de romantique, elle donnait sur un boulevard assez achalandé. Les fumeurs se rassemblaient souvent à l'endroit où se trouvaient Hélène et Kevin, comme en témoignaient les mégots qui couvraient le sol. Ils commencèrent par s'embrasser.

— Je me demandais… dit-elle au bout d'un moment.

— Ouais?

— Qu'est-ce que tu voudrais faire pour ton anniversaire? Y as-tu pensé?

— C'est à la mi-novembre, j'ai le temps d'y penser!

Et puis quoi encore? Allait-elle lui demander ce qu'il ferait à Noël?

— Peut-être, mais j'ai quand même besoin de planifier. Il faut que je commence à mettre de l'argent de côté…

— C'est seulement mon quinzième anniversaire. N'en fais pas tout un plat.

— Mais j'en ai envie, dit-elle en lui souriant affectueusement.

Elle l'embrassa encore. Kevin la serra tout contre lui, même s'il avait l'esprit ailleurs. Il pensait à Amélie dont l'anniversaire aurait lieu trois semaines avant le sien. Il lui avait toujours offert de jolis cadeaux et cette année il ne ferait pas exception, surtout qu'elle traversait une période difficile. Mais depuis qu'il sortait avec Hélène, il avait dépensé son argent au fur et à mesure qu'il l'avait gagné. Il commencerait dès aujourd'hui à économiser pour le cadeau d'Amélie.

Hélène se détacha de Kevin. Il ouvrit les yeux.

— Je t'aime, dit-elle sur un ton rempli de douceur.

Surpris et embarrassé, il ne trouva rien à lui répondre.

— Qu'y a-t-il?

Cette relation devenait beaucoup trop sérieuse au goût de Kevin.

— Rien. C'est juste que…

Se sentant rougir, Kevin évita le regard d'Hélène. Comment lui avouer ce qu'il avait sur le cœur?

— Dis-moi.

Il leva les yeux sur elle. La magie avait disparu. Kevin n'avait plus devant lui que la fille ordinaire qu'il avait toujours connue: une fille aux cheveux longs, au teint pâle, avec un corps d'enfant.

— Dis-moi, Kevin.

Il avait du mal à trouver les mots.

— Je ne sais pas. C'est seulement que… toute cette histoire m'envahit. Je ne suis peut-être pas prêt à avoir une blonde… du moins sur une base régulière.

Le temps sembla se rafraîchir tout à coup. Les yeux d'Hélène s'inondèrent de larmes et Kevin se sentit impuissant à la consoler. Il eut cependant le réflexe de la prendre dans ses bras, mais elle se déroba.

— N'essaie pas de me toucher! Et ne me mens pas non plus. Je vois maintenant clair dans ton petit jeu! Tu ne t'es jamais vraiment intéressé à moi.

Kevin était confus.

— Qu'est-ce que tu veux dire?

— Tu m'as choisie pour rendre Amélie jalouse!

Kevin était abasourdi.

— Ce n'est pas vrai.

Hélène le défia du regard.

— Ah non? Ce premier soir où nous avons dansé ensemble, c'était seulement parce qu'Amélie était partie. Et ensuite, quand tu m'as emmenée au cinéma, tu savais qu'elle y serait avec son *chum*.

— Et alors?

— Alors, je n'ai jamais compté pour toi. Tu voulais seulement lui montrer que tu pouvais sortir avec quelqu'un, toi aussi.

Kevin était insulté.

— C'est ridicu...

— N'essaie pas de le nier. Tu n'as pas cessé de t'éloigner de moi depuis qu'elle a cassé avec Éric Lachapelle. Je sais que tu es allé chez elle.

— C'est une amie. Et elle ne s'est pas encore remise de sa rupture...

— Ça fait trois semaines qu'elle a rompu.

Hélène paraissait encore plus exaspérée. Kevin ne trouva rien à redire. Il avait l'impression que quoi qu'il dise, les choses ne feraient que s'envenimer.

— Je t'ai vu la regarder, reprit-elle. Elle aime t'avoir à ses ordres, te tenir dans l'incertitude.

— Tu dis des bêtises, dit Kevin, hors de lui. De toute façon, je n'ai pas vu Amélie de toute la fin de semaine. J'ai été avec toi la plupart du temps. C'est elle qui devrait être offensée.

Hélène le gifla. Kevin fut surpris de la brûlure que provoqua la gifle.

— N'essaie pas de me leurrer, Kevin Paquette. Et ne pense pas que c'est toi qui me quittes. *Je casse.* Voilà, c'est fait. Tu peux maintenant courir après ta précieuse Amélie Fontaine. Tu verras bien si elle tient à toi ou si elle te manipule.

Sur ce, Hélène tourna les talons et s'éloigna la tête haute, malgré les larmes qui ruisselaient sur ses joues. En état de choc, Kevin resta sur place. Décidément, il ne comprenait rien aux filles. Hélène s'était d'abord montrée mielleuse et conciliante et ensuite elle était devenue autoritaire et il se retrouvait sur la paille.

Il entendit des bruits derrière lui. Un groupe d'élèves était arrivé, cigarette au bec. Kevin décida d'aller rejoindre Hélène en espérant que personne n'avait entendu leur conversation embarrassante.

Amélie faisait partie du groupe de fumeurs et ce qu'elle venait d'entendre l'avait bouleversée. Ses compagnons ne semblaient pas avoir écouté la conversation du jeune couple. Leur cigarette était plus importante.

Amélie n'avait entendu que la dernière partie de leur échange et ignorait ce qui l'avait précédé. Mais cela avait suffi. Les mots entendus lui dévoraient le cœur. Hélène venait de quitter Kevin. Avait-elle eu raison de le faire? Était-il vrai que Kevin avait des intentions plus sérieuses à son propre égard? Ou Hélène était-elle plus simplement une petite fille jalouse et stupide? Amélie éteignit sa cigarette. Elle était contente que Kevin ne l'ait pas remarquée, et cela, pas seulement parce qu'elle avait entendu des bribes de leur conversation, mais aussi parce qu'elle ne voulait pas qu'il sache qu'elle s'était remise à fumer. D'ailleurs, elle fumait seulement lorsqu'elle était déprimée, pourtant elle savait que Kevin n'accepterait pas ce prétexte. Il aurait été vraiment déçu s'il avait su. Amélie ne prêta plus attention aux bavardages de ses camarades et rentra dans l'édifice. Elle chercha Kevin des yeux, mais il était introuvable. Par contre, elle vit Hélène assise à une table, le visage rougi par les larmes, en train de raconter sa déception amoureuse à ses amies. Elle se dit qu'Hélène et Kevin seraient réconciliés le soir même. Après tout, ils avaient l'air de bien s'entendre, même si Kevin lui parlait peu d'Hélène. Amélie pensait que c'était parce qu'il faisait preuve de tact, parce qu'elle-même n'avait plus de *chum*.

Ce que Kevin ignorait, c'était que plusieurs

garçons l'avaient invitée à sortir depuis sa rupture. Mais Amélie avait refusé toutes les invitations, aucun des garçons qui s'intéressaient à elle ne lui paraissait aussi charmant qu'Éric. Peut-être que Kevin évitait de lui parler d'Hélène parce qu'il savait qu'elles n'étaient pas les meilleures amies du monde. Hélène représentait une menace à leur amitié. Mais cette dernière avait peut-être raison. Il était possible que Kevin ne parle pas d'elle parce qu'il aurait préféré sortir avec Amélie.

Cet après-midi-là, Amélie fut encore plus distraite que d'habitude en classe. Pendant le cours de français, sa matière préférée, elle eut du mal à se concentrer et M. Bessette, le professeur, lui demanda de rester après le cours.

— Tu deviens de plus en plus indifférente à ce qui se passe en classe, Amélie. Tu commences à m'inquiéter.

— Je m'excuse, M. Bessette. Je dois vraiment m'en aller, autrement je vais manquer l'autobus.

M. Bessette parut contrarié tandis qu'Amélie se sentit coupable de son attitude cavalière. Mais ce sentiment ne dura pas. Elle se demandait parfois si ses professeurs masculins auraient été aussi inquiets à son sujet si elle avait ressemblé à Hélène Scott. Amélie avait déjà surpris chez certains de ses profs le même regard insistant que celui qu'elle voyait dans les yeux des hommes dans la rue.

Amélie monta dans l'autobus et s'assit à l'avant. Kevin arriva peu après elle. Sans dire un mot, il vint s'asseoir à ses côtés. Elle savait que ce n'était pas le moment de faire des commentaires. Ils restèrent donc assis en silence. Quelques secondes après l'arrivée de Kevin, Amélie remarqua grâce au rétroviseur qu'Hélène arrivait à son tour. Cette dernière grimpa les marches, puis, après avoir jeté un coup d'œil sur

Kevin et Amélie, elle ressortit. Kevin ne prononça pas un seul mot durant tout le trajet — pas un seul commentaire, pas une seule blague. Amélie ne lui parla que lorsqu'ils furent descendus de l'autobus.

— As-tu envie d'en parler?

Kevin regardait l'asphalte fixement.

— Il n'y a rien à dire.

Ils marchèrent un peu. Amélie osa une nouvelle tentative.

— J'ai vu Hélène à l'heure du dîner. Elle paraissait vraiment chavirée.

— Elle n'a aucune raison de l'être! répliqua Kevin. C'est elle qui a cassé!

Amélie l'enlaça tendrement par les épaules.

— Allez, viens, dit-elle. Allons discuter un peu.

— O.K.

Il a été blessé dans son orgueil, pensa Amélie pendant que l'eau qu'elle avait versée dans la bouilloire chauffait. Voilà pourquoi, il hésite tant à en parler. Hélène venait de lui faire subir le même sort qu'elle-même avait imposé à Éric. Elle l'avait quitté parce qu'elle était certaine qu'il la quitterait. Éric ne lui avait téléphoné qu'une seule fois depuis cette dernière et horrible balade en moto. Amélie avait fait dire par sa mère qu'elle était absente. Et il ne l'avait plus rappelée. Si Éric avait téléphoné une seconde fois, s'il l'avait implorée de revenir, elle aurait probablement cédé. Mais il ne l'avait pas fait et cela l'avait blessée. Cependant, son silence ne l'avait pas vraiment surprise, car elle savait qu'Éric était un être fier et qu'il avait la tête dure. Amélie était convaincue qu'un simple coup de fil passé à Hélène arrangerait les choses pour Kevin. Mais elle ne le lui dirait pas, parce qu'elle ne voulait pas les voir se réconcilier. Elle choisit plutôt de lui poser une question dont elle connaissait pourtant déjà la réponse.

— Quelle raison a-t-elle invoquée?

Kevin se sentit mal à l'aise. Mais, comme ils étaient dans la chambre d'Amélie, il lui serait difficile de se défiler.

— Eh bien, c'est plutôt embarrassant.

— Oh, allez, Kevin. Je t'ai confié des tonnes de choses embarrassantes à mon sujet. Nous nous connaissons assez bien pour ça, non?

Kevin sourit d'un air désabusé. Comment réagirait-elle lorsqu'elle saurait tout?

— Je suppose… marmonna-t-il avant de s'éclaircir la voix. D'accord, tout a commencé quand elle m'a dit qu'elle m'aimait.

— Lui as-tu dit que tu l'aimais aussi?

Il fit non de la tête. Amélie le réprimanda en émettant des petits bruits désapprobateurs.

— Mauvaise idée. Les filles s'attendent à ce que les garçons répondent la même chose. Elles souhaitent entendre les mots magiques, même si elles doutent généralement qu'ils soient sincères.

— Je m'en souviendrai, répliqua Kevin sur un ton sarcastique. Les filles préfèrent entendre les gars leur mentir. J'ai beaucoup à apprendre de mes erreurs.

— Quand même, Kevin, n'exagère pas! Qu'est-il arrivé ensuite?

— J'ai paniqué. Je lui ai dit que notre relation devenait trop sérieuse, ou quelque chose comme ça.

— Et ensuite?

— Elle m'a quitté.

Amélie fronça des sourcils.

— Comme ça? Sans aucune autre raison?

Kevin inspira profondément.

— Tu ne me croiras pas.

— Essaie toujours.

— D'accord.

Kevin regarda Amélie. Elle ressemblait à une de

54

ces filles que l'on voit dans les magazines. Elle paraissait non pas âgée de deux ans de plus que lui, mais bien de cinq ans… ou plus. La supposition d'Hélène était absurde. Il fixa les yeux sur le mur et lui livra les détails de l'histoire en bégayant.

— Elle a dit que depuis le début je n'étais pas vraiment intéressé par elle, que j'étais sorti avec elle seulement pour te rendre jalouse. Et que mon plan avait fonctionné puisque tu as rompu avec Éric. Ce n'était donc qu'une question de temps avant que je la quitte pour essayer de te conquérir.

Il sourit d'un air piteux avant d'ajouter:

— Ridicule, hein?

Amélie ne le regardait pas. Ses yeux étaient rivés à la fenêtre. Kevin sentit son cœur couler à pic. Il avait la terrible impression qu'il venait de tout gâcher. En suggérant que leur relation puisse prendre une autre tournure, il avait détruit leur amitié. Amélie se leva. Son regard semblait complètement absent. Kevin se leva à son tour.

— Ça va?

Amélie parut revenir à elle. Elle le regarda dans les yeux. Elle semblait nerveuse. Elle parla d'un ton calme et serein, un ton que Kevin n'avait jamais entendu auparavant.

— Hélène avait raison, tu sais. J'étais jalouse.

Kevin demeura immobile. Il lui sembla qu'en cet instant précis, leur monde venait de se transformer. Amélie se tenait à quelques pas de lui. Leurs cœurs battaient à tout rompre.

— Elle avait raison à mon sujet aussi, murmurat-il. Presque sur toute la ligne.

Kevin embrassa Amélie du regard. Elle tremblait, tandis que de nouvelles émotions s'emparaient de lui. S'en rendait-elle compte?

— Alors, qu'allons-nous faire? demanda Amélie,

d'une voix aussi douce qu'incertaine.

Ni lui ni elle n'auraient su dire lequel d'entre eux avait fait le premier pas. Tout ce qu'ils savaient, c'était qu'ils étaient dans les bras l'un de l'autre et que leurs lèvres étaient brûlantes.

7

Au début, cela lui parut étrange, elle avait presque l'impression de jouer la comédie. Mais dès le second baiser, leur union lui sembla naturelle, inévitable. Kevin. Kevin était celui qu'elle attendait depuis toujours. Sans parler, ils s'assirent sur son lit, se jettèrent l'un contre l'autre, comme s'ils avaient voulu rattraper le temps perdu.

Amélie ne voulait pas parler la première, elle ne voulait pas rompre le charme. Elle aimait la façon qu'avait Kevin de l'embrasser, comme si l'urgence qu'il avait de le faire n'avait d'égal que la tendresse qu'il lui témoignait. Ses caresses ne ressemblaient en rien à des assauts.

— Je suis fou de toi. Je l'ai toujours été en fait.

Il sourit nerveusement.

— Moi aussi, répliqua-t-elle en souriant. J'attendais que tu sois assez vieux.

Kevin la prit dans ses bras à nouveau.

— Je me suis dépêché de grandir.

Ils furent bientôt sur le sol, totalement soudés l'un à l'autre. Ils n'entendirent pas la porte d'entrée s'ouvrir et se refermer. La mère d'Amélie se trouvait déjà sur le palier.

— Amélie? Es-tu là?

Ils se séparèrent aussi rapidement que si leur vie

avait été en danger. Amélie se leva et arrangea ses vêtements.

— Je suis ici, maman.

La porte s'ouvrit.

— Ah, Kevin! je ne savais pas que tu étais là aussi.

— Bonjour, madame Fontaine.

Si la mère d'Amélie s'était aperçu de quelque chose, elle n'en fit rien paraître.

— Je me prépare une tasse de café. En voulez-vous?

Kevin consulta sa montre.

— Non merci. J'ai perdu la notion du temps. Je dois rentrer, sinon je serai en retard pour le souper.

Il se leva et chercha son blouson. Amélie savait qu'il était tombé de l'autre côté du lit.

— Ça s'est bien passé au travail, aujourd'hui? demanda-t-elle à sa mère, pour faire diversion.

— Oui, mais j'ai hâte de prendre ma retraite, se plaignit Mme Fontaine. Attends d'être obligée de travailler, ma fille. C'est seulement à ce moment-là que tu apprécieras les années que tu vis présentement.

Elle referma la porte derrière elle. Kevin avait enfilé son blouson.

— Crois-tu qu'elle se doute de quelque chose?

Amélie secoua la tête.

— Je crois que nous ne devrions en parler à personne pour le moment. Et toi?

— Vrai. Ça nous prendra déjà un petit bout de temps à nous habituer.

— Oui, probablement. On se revoit demain?

— Oui, demain.

Ils s'embrassèrent une dernière fois, puis Kevin s'en alla.

Amélie se regarda dans la glace. Ses cheveux étaient en bataille. Pour une fois, elle ressemblait à une fille de son âge. Elle repoussa sa chevelure vers l'arrière dans un geste d'impatience. Je devrais peut-être me faire des tresses, pensa-t-elle. Alors, j'aurais sûrement l'air d'une adolescente de quinze ans.

— Oh, Amélie! s'exclama-t-elle à haute voix. Dans quelle sorte d'histoire t'embarques-tu encore?

Kevin avala son assiettée de pâté chinois en deux temps trois mouvements.

— Tu es pressé? lui demanda sa mère. Vas-tu chez Hélène ce soir?

— Non, pas ce soir.

Depuis son départ de chez Amélie, Kevin avait complètement oublié Hélène. Il l'avait déjà reléguée aux oubliettes.

— Mais elle vient toujours souper demain soir?

— Non, je ne crois pas.

Il but son verre de lait d'un seul trait et se leva.

— Je m'en vais chez Pete.

Sa mère n'allait pas le laisser se dérober aussi facilement.

— Attends une petite minute, jeune homme! Vous êtes-vous disputés?

— En quelque sorte.

— Qu'est-il arrivé?

Kevin grimaça d'embarras. Il était déjà assez difficile d'avouer qu'on avait été plaqué sans qu'en plus on ait à expliquer que cette rupture nous remplissait de joie. Heureusement, son père vint à sa rescousse.

— Laisse-le donc un peu tranquille. Il t'en parlera quand il se sentira prêt.

— C'est vrai. Je te raconterai tout.

Il s'empressa de sortir avant qu'elle ne lui demande s'il avait fait ses devoirs.

Pete baissa le son du téléviseur pendant la pause commerciale.

— Tu ne vois pas Scotty ce soir?

Pete avait pris la mauvaise habitude d'appeler Hélène «Scotty».

— Ni ce soir ni jamais.

— Cela veut dire que tu as finalement compris? répliqua Pete, surpris par cette nouvelle.

— Si on peut dire.

— En fait, dit Pete, les yeux fixés sur l'écran, je pense qu'Hélène est une fille correcte…

— Parfait, l'interrompit Kevin. Le champ est libre si tu veux sortir avec elle.

— Ce n'est pas ce que je voulais dire…

Mais lorsque le match de hockey débuta, la conversation dériva sur les chances qu'avaient les Sénateurs d'Ottawa de se qualifier pour les séries éliminatoires.

Kevin rentra chez lui vers dix heures.

— Hélène a téléphoné deux fois, lui annonça sa mère. Elle avait l'air triste.

— Il est trop tard pour la rappeler, répliqua Kevin. Je la verrai demain.

— Attends un petit instant, dit sa mère sur un ton ferme. Je ne suis pas si certaine qu'Hélène réussira à dormir cette nuit si tu ne la rappelles pas. L'amour est important pour une femme, Kevin. Tu ne pourras pas passer ta vie à briser le cœur des jeunes filles.

— C'est elle qui m'a quitté!

— On dirait bien qu'elle a changé d'idée.

— Tant pis pour elle, répliqua-t-il d'une voix dure. De toute façon, elle devenait trop sérieuse. Elle voulait toujours être avec moi. Elle commençait même à jouer les offensées quand je préférais voir mes amis plutôt qu'elle.

Compréhensive, sa mère lui sourit.

— Peut-être que vous devriez en parler. Ça

arrangerait les choses.

— Je ne pense pas. Je crois que je me porterai mieux sans elle.

— Je ne te reconnais pas, Kevin, dit sa mère d'une voix basse.

Kevin grimaça. Il savait qu'il était sans-cœur, mais comment aurait-il pu expliquer à sa mère qu'il avait déjà remplacé Hélène par Amélie?

— Si je comprends bien, tu ne la rappelleras pas.

Kevin fit non de la tête.

— Je monte me coucher. Je lui parlerai demain.

Mais il savait que, si c'était possible, il n'en ferait rien.

Amélie fut longue à se préparer le lendemain matin. Elle mit un temps fou à choisir ses vêtements et à faire sa toilette.

— Tu vas être en retard! s'écria sa mère depuis le rez-de-chaussée.

— Ce n'est pas grave. Je prendrai l'autobus municipal.

— Alors tu seras définitivement en retard.

À cause de sa tournée de journaux, Kevin ne prenait jamais l'autobus scolaire le matin. Il s'en remettait généralement au service de transport en commun pour se rendre à l'école plus ou moins à l'heure. Ce matin-là, Amélie avait particulièrement envie de voir Kevin. Elle avait besoin de s'assurer que ce qui s'était produit la veille n'était pas un rêve. L'autobus allait partir quand Kevin arriva en trombe, la chemise sortie du pantalon et le sac sur une épaule.

— Attendez un instant! demanda Amélie au chauffeur.

Kevin bondit dans le véhicule.

— Merci!

Ils allèrent s'asseoir à l'arrière. Constatant qu'il

n'y avait personne de leur connaissance, Amélie laissa Kevin la prendre par la main.

— Tu peux faire mieux.

Elle se pencha vers lui. Ils s'embrassèrent pendant une éternité. Lorsque leurs lèvres se détachèrent, Kevin souriait.

— Maintenant je sais qu'hier ce n'était pas seulement un rêve.

— C'est exactement ce que je me disais.

Et ils reprirent leur étreinte.

Puis, Kevin recula la tête et Amélie se retourna. Charles Gilbert montait dans l'autobus. Il devait être camelot lui aussi. Amélie s'écarta de quelques centimètres de Kevin. Il fit de même en direction opposée. Le temps que Charles se mette à chercher des yeux une place pour s'asseoir, Amélie et Kevin étaient assis aussi loin l'un de l'autre que s'ils avaient été de parfaits étrangers. Charles s'avança vers Amélie. Ignorant Kevin, il sortit un paquet de cigarettes de sa poche.

— On ne te voit pas souvent dans cet autobus. Veux-tu une cigarette?

— Non merci, j'ai arrêté.

— Ah oui? Pourtant je t'ai vue fumer hier. Je t'ai vu aussi, Paquette. Qu'est-ce que tu as fait pour que ta blonde pleure comme ça?

Amélie savait que Kevin était de mauvaise humeur, même s'il ne disait rien. Il était préférable d'éviter un affrontement avec Charles Gilbert.

— Tu devrais faire attention à toi, Amélie, continua Charles en lui jetant une bouffée de fumée au visage. C'est un vrai tombeur.

Même si Charles Gilbert était arrivé et avait failli tout gâcher, Kevin était heureux d'avoir eu la chance de voir Amélie ce matin-là. Il flottait encore sur son nuage rose quand il arriva au cours d'anglais. Mais, dès qu'il vit le visage chagriné d'Hélène, il retomba sur terre.

— Salut! Je t'aurais bien rappelée, mais il était trop tard quand je suis rentré.

Hélène l'ignorait. Tant mieux. C'était mieux ainsi. Sauf que... il n'arriva pas à se concentrer durant tout le cours. Sauf que... ce que lui avait dit sa mère la veille lui revenait sans cesse en tête: *Je ne te reconnais pas, Kevin.* Il ne voulait surtout pas être méchant avec Hélène. Si bien que dès que le cours fut terminé, il alla la retrouver dans le corridor.

— Je croyais que tu voulais me parler, dit-il.

— J'ai changé d'avis.

— Peut-on rester amis?

Cliché! pensa-t-il. Hélène fulminait.

— Tu veux dire être amis comme Amélie Fontaine et toi? Je ne crois pas être à la hauteur, hein?

— Eh bien, si tu le prends sur ce ton-là...

Puis elle commença à pleurer. Il y avait beaucoup d'élèves dans le corridor. Il sortit un mouchoir de sa poche.

— Viens, allons nous asseoir.

Il ouvrit la porte d'un local vide et Hélène pleura de plus belle. Puis elle épongea ses yeux et essaya tant bien que mal d'accrocher un sourire sur son visage.

— Je m'excuse, dit-elle. Je n'aurais pas dû te dire toutes ces choses hier. J'étais jalouse parce que je croyais que tu préférais la compagnie d'Amélie. Mais je sais qu'elle ne sort qu'avec des gars plus vieux qu'elle...

Elle chercha à retrouver son souffle.

— J'en ai parlé avec Christine et ma mère et elles m'ont toutes les deux dit qu'il était normal que tu ne veuilles pas tout le temps me voir et que tu avais besoin de passer un peu de temps avec tes amis. Tout est ma faute, hein? J'ai fait une gaffe.

Kevin ne savait pas trop quoi répondre.

— Tout n'est pas ta faute, marmonna-t-il. Je ne savais pas comment me comporter non plus.

Hélène lui sourit faiblement. Selon toute évidence, elle s'attendait à ce qu'il lui propose de reprendre leur relation là où ils l'avaient laissée. Il ne le ferait pas. Mais il ne pouvait pas l'empêcher d'y penser. Lorsqu'elle parla de nouveau, la détresse dans sa voix était presque palpable.

— Alors, veux-tu qu'on essaie à nouveau? Peut-être que ça marchera cette fois?

Kevin prit une profonde inspiration.

— Je... heu... Je ne suis pas...

Il déglutit et reprit la parole.

— Je m'excuse, mais non.

Il avait cru qu'Hélène se remettrait à pleurer, mais le rejet qu'elle venait de subir eut un effet complètement contraire. Elle se leva, les yeux brillant de colère.

— Alors, ce n'est pas nécessaire d'être si gentil! Pourquoi ne t'es-tu pas contenté de me laisser toute seule? Sois maudit, Kevin Paquette! Tu m'entends? J'espère que tu iras brûler en enfer!

8

— Qu'est-ce que tu veux faire demain soir?

— Je ne sais pas, répondit Amélie d'un ton doucereux. Est-ce que tes parents sortent?

— Je ne crois pas.

— Les miens non plus. Allons voir un film, d'accord?

— O.K., c'est une bonne idée.

Amélie sourit, puis chercha quelque chose à dire. Elle entendit la voix de la mère de Kevin qui criait:

— Kevin! Es-tu toujours au téléphone?

Amélie n'entendit pas la réponse de Kevin. Il avait dû couvrir le récepteur de sa main. Il revint à elle.

— Je dois raccrocher. Ma mère a un coup de fil à passer.

— D'accord, à demain. Bonne nuit.

— Bonne nuit.

Amélie raccrocha avec la nette impression de vivre un conte de fées. Les doutes qu'elle avait d'abord eus au sujet de Kevin s'étaient envolés. Il était facile de parler avec lui. Même les silences étaient confortables. Amélie vivait un nouveau départ. Elle avait sincèrement cru qu'elle était amoureuse d'Éric, mais à présent, cette relation lui paraissait bien enfantine en comparaison de ce qu'elle vivait avec Kevin.

Vendredi soir. Elle n'avait pas vu Kevin, car il était allé jouer au hockey. Et dès qu'il était rentré, il lui avait téléphoné. Comme il lui manquait! Ils n'avaient passé que deux soirées ensemble depuis qu'ils s'étaient déclaré leur amour. Ils avaient fait des blagues, s'étaient embrassés, s'étaient câlinés et avaient roulé sur le tapis de sa chambre. Deux soirées seulement, mais des heures qui valaient bien deux années entières tant ils se sentaient bien en compagnie l'un de l'autre. Amélie n'avait jamais connu autant de bonheur. Leur amour était encore un secret. Mais bientôt, ils devraient annoncer la nouvelle à leurs parents. Amélie ignorait comment les siens réagiraient. Vivre une amitié avec le voisin était une chose, mais rouler sur le tapis de sa chambre avec lui soir après soir en était une autre. Quant aux parents de Kevin, ils croiraient sûrement qu'Amélie aurait une mauvaise influence sur lui étant donné qu'elle était son aînée de deux ans.

Amélie alla au salon où ses parents regardaient la télévision.

— Avec qui parlais-tu au téléphone? lui demanda sa mère sur un ton désinvolte pendant qu'un générique défilait à l'écran.

— Kevin. Nous allons au cinéma demain soir.

— Sa mère me disait la semaine dernière qu'il a une blonde maintenant, répliqua sa mère, toujours sur le même ton.

— C'est fini.

— Déjà? fit sa mère, un sourcil relevé. J'espère que ce n'est pas à cause de toi.

Amélie posa les yeux sur l'écran du téléviseur en espérant réussir à garder son calme.

— Non. *Bien sûr que non.* C'est elle qui l'a quitté.

Le programme commença avant que sa mère ne la

questionne davantage.

Kevin descendait les marches de l'escalier au moment où sa mère finissait sa conversation téléphonique.

— Avec qui parlais-tu au téléphone pour que ce soit si long? Hélène?

— Non. Qu'est-ce qui te fait supposer ça?

Elle lui lança un regard circonspect.

— C'est seulement que lorsque j'ai décroché le téléphone, je t'ai entendu parler d'une sortie au cinéma demain soir.

— C'est exact. Je sors avec Amélie.

Sa mère ne parut pas surprise. Kevin se demanda si elle en avait entendu plus.

— Qu'est-ce que vous allez voir?

— Ça dépend de ce qu'on présente.

— Tu n'as pas l'habitude d'aller au cinéma sans savoir ce qu'on y joue.

Complètement désarçonné, Kevin se demanda quel titre de film pourrait le sortir de ce mauvais pas. S'il disait à sa mère qu'il allait au cinéma avec Amélie pour la consoler de sa rupture avec Éric, elle ne le croirait pas. Il avait déjà trop souvent utilisé cette excuse. Si quelqu'un devait être chagriné, c'était bien lui, à cause d'Hélène. Il opta finalement pour une contre-attaque.

— Pourquoi en fais-tu tout un plat? J'ai simplement le goût de voir un film.

Sa mère haussa les épaules.

— Je me demandais pourquoi tu n'y allais pas avec Martin ou Pete.

— Je vais chez Pete demain après-midi et Martin vient ici dimanche. Je ne vois pas où est le problème.

— Je pense que les gens vont se faire des idées au sujet de ta relation avec Amélie, c'est tout, répliqua-t-elle calmement.

Kevin était encore sur la dernière marche de l'escalier. Il aurait souhaité que son père soit à la maison. Son père réussissait toujours à ramener la conversation sur un ton plus léger. Le père de Kevin aimait la simplicité. Mais ce soir, comme tous les vendredis soirs, il était dans une brasserie et prenait un verre avec ses amis et lui, Kevin, était acculé au pied du mur.

— Qu'est-ce que tu veux dire par là?

— Eh bien… commença sa mère avec une pointe d'espièglerie dans la voix, pour quelqu'un qui, lundi, a vécu une première défaite amoureuse, je te trouve assez joyeux.

Que répondre à cela? Sa mère poursuivit.

— Je sais à quel point tu apprécies Amélie, Kevin. Quand tu étais plus jeune, il m'arrivait de penser que tu l'adorais trop. Tu as été très affecté quand elle a changé d'école et que vous vous êtes vus moins souvent. Mais depuis que tu es au secondaire, vous vous êtes rapprochés. J'ai maintenant l'impression que tu la vois avec d'autres yeux.

— Tu veux dire… avec les yeux… d'un gars amoureux?

— C'est ce que je veux dire, oui.

— Et qu'y aurait-il de mal à cela?

Mme Paquette soupira.

— Rien en particulier. Je sais que vous vous entendez très bien tous les deux. Mais elle a deux ans de plus que toi, Kevin. Et les filles mûrissent plus vite que les garçons. Elles n'ont pas le choix. Tu n'as pas l'expérience nécessaire pour combler une fille comme elle, malgré toute la maturité dont tu peux faire preuve à ton âge.

— Ce n'est pas ce qu'Amélie en dit, répliqua-t-il d'un air contraint. Elle dit que mon âge n'a absolument aucune importance.

Sa mère n'ajouta rien. Kevin comprit soudain que, sans le vouloir, il venait de se livrer en pâture. Il devenait maintenant inutile de se cacher.

— Nous sommes très amoureux l'un de l'autre.

Mme Paquette lui sourit tristement.

— Je suis certaine que vous l'êtes, Kevin. Mais tu es encore très jeune pour être amoureux, surtout d'une fille comme Amélie. Tu n'as pas besoin que je te rappelle qu'elle est… très populaire. Elle a toujours attiré les garçons et ce n'est pas demain la veille que cela s'arrêtera. J'ai peur que tu ne sortes blessé de toute cette histoire.

Kevin dodelina de la tête.

— Je suis assez grand pour savoir ce que je fais.

— Dans ce cas, je suis heureuse pour toi. J'espère que tout ira bien.

Mais au son de sa voix, la mère de Kevin ne paraissait pas trop optimiste.

Le début de la soirée se passa plutôt mal. Quand Amélie et Kevin se présentèrent au guichet, la préposée demanda à Kevin s'il avait l'âge réglementaire pour être admis.

— Bien sûr que j'ai seize ans! répondit Kevin en rougissant.

— Et moi aussi, ajouta Amélie.

— Désolée, mais nous devons poser la question, répliqua la préposée en détaillant Amélie du regard.

Une fois entrés dans la salle, ils remarquèrent que des élèves de Mont-Bleu avaient choisi le même film qu'eux, ce qui signifiait qu'ils devraient contenir leurs élans d'affection. Le film n'était pas génial. Dès que le générique de la fin apparut à l'écran, ils se levèrent pour s'en aller, mais Annick Larivière, Geneviève Hétu et Vanessa Paquin les rattrapèrent.

Elles s'étaient mises sur leur trente et un.

— Tu viens boire un verre, Amélie? Nous allons à l'AU-ZONE.

— Pas ce soir, merci.

Leur attitude amicale n'était en fait que de l'hypocrisie. Elles n'étaient pas le genre de filles qu'Amélie se plaisait à fréquenter. Elles l'énervaient.

— Je te comprends, parce que ça m'étonnerait qu'ils laissent ton *chum* entrer, lui dit Annick.

Amélie se disait que les filles ne croyaient sûrement pas que Kevin était son amoureux, mais elle n'allait certainement pas leur donner la satisfaction de le nier devant elles. Ils sortirent du cinéma d'un pas pressé.

Dès qu'ils furent dans un taxi, Kevin suggéra à Amélie qu'elle vienne chez lui.

— Ta mère ne pensera pas qu'il est un peu tard pour que je me pointe chez toi?

— Je ne crois pas. Elle sait que nous sortons ensemble.

— Tu lui as *dit*? demanda-t-elle, abasourdie. Je croyais que nous nous étions mis d'accord pour que…

— Elle a entendu une partie de notre conversation au téléphone et elle a tout deviné. Je n'allais tout de même pas lui mentir.

— C'est vrai, mais…

Amélie ne savait comment aborder le sujet. Cependant, elle était déterminée à ce que leur relation demeure un secret.

— Je ne suis pas certaine de pouvoir la regarder en face. Ce que je veux dire, c'est que je ne l'ai même pas encore annoncé à mes parents.

— Tu n'auras bientôt plus le choix. Ma mère parlera à ta mère un jour ou l'autre.

— Je suppose que tu as raison. Et qu'est-ce que ta mère a dit?

Embarrassé, Kevin commença à marmonner, comme il le faisait toujours dans ces cas-là.

— Elle… elle a dit que je n'étais pas assez mature, que tu m'utiliserais peut-être comme bouche-trou jusqu'à ce que tu trouves un gars plus âgé.

— Et toi, que lui as-tu répondu?

— Que nous sommes amoureux.

Amélie hocha la tête. Elle se croyait amoureuse, mais après ce qui venait de se produire au cinéma, elle se dit qu'elle aurait du mal à faire face aux problèmes qui se dresseraient inévitablement sur leur chemin. Elle devait stopper l'hémorragie.

— Voici ce que je te propose, dit-elle sans savoir ce qu'elle dirait ensuite. Nous allons leur dire que nous sortons ensemble à titre d'essai, jusqu'à ce que nous soyons certains que c'est bien ce que nous voulons. De cette façon, ils verront que nous sommes sérieux et assez mûrs.

Kevin acquiesça de la tête, mais il paraissait blessé.

— Dis-moi, qui est à l'essai? Toi? ou moi?

— Ce n'est pas ce que je voulais dire, protesta Amélie qui tentait désespérément de comprendre ce qu'elle avait vraiment voulu dire. Je te proposais une façon de nous assurer que nous aurions l'accord de nos parents.

— D'accord. Appelons ça un essai. Tant et aussi longtemps que tu es certaine que nous ne gardons pas le secret parce que ça te gêne qu'on me voie avec toi…

Amélie était mal à l'aise parce que c'était exacte-ment ce à quoi elle pensait. Elle avait besoin de temps pour s'habituer à l'idée que son ami était plus jeune qu'elle, sans parler qu'elle devait préparer le terrain pour ses amies.

— Nous n'avons pas à nous cacher, dit-elle tout à

coup. Tu peux le dire à qui tu veux.

Elle regretta ses mots dès qu'elle les prononça. Mais lorsqu'ils s'embrassèrent, presque toutes ses craintes disparurent.

— J'ai ramené Amélie avec moi.

M. Paquette se leva.

— Ça me fait plaisir de te voir, Amélie. Et puis, votre film, c'était bon?

— Pas si mal. Mais j'ai déjà vu mieux.

— Bonsoir, Amélie.

Mme Paquette était plus réservée.

— Bonsoir, madame Paquette.

Amélie inspira profondément. Si elle devait se justifier, il faudrait qu'elle le fasse au plus tôt, autrement elle perdrait son courage.

— Je crois que Kevin vous a appris la nouvelle à notre sujet.

Mme Paquette lui adressa un sourire glacial.

— D'une certaine façon.

— En fait… bégaya Amélie, nous savons que cela peut paraître étrange —parce que je suis plus vieille—, mais nous sommes réellement épris l'un de l'autre et nous voulons vraiment essayer. Nous allons y aller en douce au début, comme ça nous pourrons rester amis si ça ne fonctionne pas. J'espère… j'espère que ça vous va.

— Bien sûr que ça nous va, Amélie, dit M. Paquette. Nous sommes très heureux pour vous deux. N'est-ce pas, ma chérie?

Mme Paquette sourit à nouveau, plus chaleureusement cette fois.

— Oui, nous sommes très heureux, répondit-elle. Je te remercie, Amélie, de nous avoir tout expliqué. J'apprécie beaucoup.

Dans la chambre de Kevin, à l'étage, Amélie se

sentait mal à l'aise.

— Ça ne sert à rien, commença-t-elle, maintenant que j'en ai parlé à tes parents, je vais devoir tout avouer aux miens. J'aimerais bien le faire ce soir. Est-ce que ça te dérange si je pars tout de suite?

Kevin la raccompagna chez elle. Il y avait de la lumière dans le salon.

— Crois-tu qu'ils vont approuver? lui demanda Kevin.

— Ils vont probablement m'accuser de détournement de mineur comme ta mère vient presque de le faire.

Kevin éclata de rire. Ils échangèrent un long baiser langoureux. Puis quelqu'un alluma la lumière du vestibule.

— Je t'appelle demain, dit-elle à Kevin. Bonne nuit.

— Amélie? fit la voix de sa mère.

Elle inséra la clé dans la serrure et ouvrit la porte.

— Je suis contente que tu sois encore debout, maman. J'ai quelque chose à te dire.

9

Le lendemain après-midi, les amis de Kevin vinrent chez lui pour regarder un match de football présenté à la télé. Vers la mi-temps, Kevin mentionna d'une façon désinvolte qu'Amélie et lui sortaient ensemble, en quelque sorte.

— Qu'est-ce que tu veux dire par «en quelque sorte»? s'enquit Pete.

— Je ne sais pas trop. Je veux dire qu'elle est ma blonde.

— Elle a envie de jouer à la mère, maintenant? dit Martin qui avait essayé d'être drôle mais qui n'avait réussi qu'à paraître méchant.

Kevin ne répondit rien à cette boutade.

Puis Pete y alla de son petit mot:

— Est-ce que vous… enfin, tu sais?

Et il fit à Kevin un clin d'œil qui en disait long. Kevin ne répondit pas à cette question non plus, même s'il comprenait très bien où Pete voulait en venir. Si Kevin fréquentait une fille aussi aguichante qu'Amélie Fontaine, il lui faudrait bien peu de temps pour passer aux actes. Pourtant, la sexualité avait été le dernier de ses soucis. Après tout, cela ne faisait qu'un mois qu'il avait embrassé une fille pour la première fois. Kevin considérait qu'il y avait déjà assez de changements dans sa vie. Il venait tout juste d'entrer dans les ligues mineures. Il n'était sûrement pas prêt à se lancer tête première dans les ligues majeures. Mais peut-être qu'Amélie l'était. Peut-être avait-elle déjà fait l'amour. Il espérait qu'elle n'avait pas franchi cette frontière.

Mais ce soir-là, il ne put s'empêcher d'y repenser. À supposer qu'Amélie s'attendait à ce qu'il... comment dire? *l'entraîne dans son lit*. Elle s'attendrait également à ce qu'il le fasse d'une façon responsable. Un mois plus tôt, Kevin pensait que le jour où il aurait des rapports sexuels était aussi loin que celui où il obtiendrait son permis de conduire. Et voilà qu'il se retrouvait dans une pharmacie à déchiffrer les emballages d'une vingtaine de marques de condoms! Comment choisir parmi la panoplie de produits offerts?

Il arrêta finalement son choix sur l'emballage à la présentation graphique la plus sobre. Il était inutile de s'énerver pour ça. De toute façon, il ne les utiliserait probablement pas. La caissière ne le regarda même pas lorsqu'il paya. Il sortit de la pharmacie d'un pas rapide voulant à tout prix éviter de rencontrer quelqu'un qu'il connaissait et qui saurait instantanément ce qu'il venait d'acheter. Il ne rencontra personne.

— Tu es en retard, Kevin. As-tu été retenu par un prof? lui demanda Mme Paquette.

— Non, répondit-il. Évidemment que non. Je suis simplement allé en ville m'acheter un magazine d'informatique.

— Tu n'as pas besoin d'utiliser ce ton-là pour me répondre, jeune homme. As-tu eu une mauvaise journée?

— C'était correct.

Kevin alla se changer dans sa chambre. Il avait les

nerfs à fleur de peau et l'école n'avait rien à voir avec cet état. C'était la première fois qu'il allait chez Amélie depuis qu'elle avait annoncé la nouvelle à ses parents. Il comprenait maintenant la réaction bizarre qu'elle avait eue dans le taxi en rentrant du cinéma. Après avoir été étiqueté pendant des années comme étant «l'ami d'Amélie», voilà qu'il devenait dorénavant «le petit ami d'Amélie». Il avait presque l'impression d'avoir joué les imposteurs durant toutes ces années.

Ce même lundi, Amélie alla chez Chantal avec Carole-Anne après l'école. Elle avait négligé ses amies ces derniers temps. Amélie devait leur parler de Kevin avant qu'elles n'apprennent la nouvelle par quelqu'un d'autre. Mais il lui fut d'abord impossible de placer un mot, car Chantal, qui avait eu son premier rendez-vous galant depuis la fin de l'été, tenait à raconter le déroulement de sa soirée dans ses moindres détails.

— Et il n'arrêtait pas de me raconter que son père travaille à Radio-Canada et qu'il a souvent des billets gratuits pour assister à toutes sortes d'événements dans la région. Comme si c'était suffisant pour m'impressionner et que j'accepte de le revoir. Je n'ai jamais rencontré quelqu'un d'aussi ennuyeux que lui…

— Tu commences à l'être toi-même, l'interrompit Carole-Anne. Je te rappelle que j'ai eu droit à ton compte rendu détaillé hier soir. Et *toi*, Amélie, qu'as-tu fait samedi soir?

Amélie se racla la gorge.

— Je suis allée au cinéma avec mon *chum*.

Cette nouvelle capta immédiatement l'attention des deux filles.

— Qui? demanda Carole-Anne. Attends. Laisse-moi deviner. Michel Poitras?

Amélie fit non de la tête.

— C'est à mon tour de deviner, dit Chantal. David Joyal, l'ami d'Éric, qui voulait tant sortir avec toi?

Amélie secoua de nouveau la tête.

— Tu n'as pas repris avec Éric tout de même? Pas après tout ce que tu nous as dit à son sujet? demanda Carole-Anne.

— Non, dit Amélie. Je ne crois pas que vous réussirez à deviner qui c'est.

Elle les laissa languir encore un peu.

— Je sors avec Kevin.

— Le petit Kevin? précisa Chantal qui n'en croyait pas ses oreilles.

— Il n'est pas si petit que ça.

— Mais tu nous avais dit qu'il sortait avec une fille de quatrième secondaire! dit Carole-Anne.

— Eh bien, il ne sort plus avec elle. Il sort avec moi.

— Mince alors! s'exclama Chantal. Voilà notre Amélie qui joue à la mère!

— Moi, je pense que c'est génial, déclara Carole-Anne en souriant. Kevin est un gars sympathique. Félicitations!

— Oui, dit Chantal, c'est génial. Et je vois déjà la nouvelle imprimée en grosses lettres dans le *News*: «Amélie vit sa différence». Maintenant, raconte-nous tout.

Amélie résuma les événements des quatre dernières semaines en commençant par la jalousie qu'elle avait ressentie lorsque Kevin avait commencé à voir Hélène jusqu'à leur premier baiser échangé une semaine plus tôt en rentrant de l'école.

— Et depuis, qu'est-ce qui s'est passé? demanda Chantal d'une voix malicieuse.

— Rien, si tu penses à ce que je pense, s'empressa de répondre Amélie.

— Et tes parents, qu'est-ce qu'ils en pensent? demanda Carole-Anne.

— En fait, ils sont très contents. Ma mère a toujours pensé que c'était dommage que ce soit Kevin qui soit plus jeune que moi et non pas le contraire, parce qu'elle trouve que nous formons un couple parfait. Quant à mon père, il le considère déjà comme son gendre!

— Ils ont dû être soulagés, se moqua Chantal.

— Qu'est-ce que tu veux dire? demanda Carole-Anne.

Chantal lui adressa l'un de ses célèbres sourires énigmatiques.

— Considérons la chose de leur point de vue. D'abord, Amélie sort avec un super beau mâle qui roule en moto vêtu d'un blouson de cuir... pour des parents, il y a de quoi s'inquiéter; Amélie pourrait avoir un accident mortel, pourrait devenir enceinte ou pourrait faire une fugue avec lui. Ensuite, notre Amélie fréquente un jeunot à peine sorti de la maternelle et pour qui la débauche se résume à passer la main sous le chandail d'Amélie.

— Tu as peut-être raison, dit Amélie en riant, ils sont peut-être soulagés. Mais ils devraient se méfier: Kevin vieillit vite!

— Tu veux dire que tu lui montres comment! la taquina Carole-Anne. Amélie Fontaine, tu n'as pas honte d'enlever la jeunesse de Chelsea à son berceau et de la corrompre de cette façon?

— Tu es jalouse, ma chère Carole-Anne, parce qu'il te plaît bien à toi aussi, le petit Kevin, la réprimanda Chantal.

— Je les préfère encore un peu plus jeunes, répondit Carole-Anne. Il y a plusieurs beaux gars en deuxième et troisième secondaires. Ils cessent de m'intéresser dès qu'ils commencent à avoir de l'acné et à se raser.

Les trois filles éclatèrent de rire, puis Carole-Anne changea de ton.

— Mais sérieusement, Amélie, tu sais qu'il y en a à l'école qui ne vous feront pas la vie facile, hein?

— C'est leur problème.

— Peut-être, mais Kevin et toi en subirez inévitablement les contrecoups.

— Tant et aussi longtemps que nos amis seront là pour nous soutenir, nous serons prêts à leur faire face. Je crois que nous sommes vraiment amoureux.

Chantal et Carole-Anne se regardèrent. Puis, presque à l'unisson, elles s'écrièrent:

— Elle est sérieuse.

— Où es-tu allé après l'école? demanda Amélie à Kevin. Tu n'as pas pris l'autobus scolaire.

— Je suis allé en ville, répondit-il vaguement. Je voulais m'acheter un magazine d'informatique.

Amélie se demanda pourquoi il ne s'était pas procuré le magazine auprès du distributeur pour qui il travaillait. Mais, avant qu'elle ne puisse le lui demander, on frappa à la porte. Sa mère. Sa mère qui n'avait pas l'habitude de la déranger quand elle avait de la compagnie.

— J'ai pensé que vous aimeriez boire un petit chocolat chaud.

Mme Fontaine entra avec un cabaret. Kevin la remercia poliment et discuta avec elle de l'école pendant une minute ou deux. Mais Amélie bouillait de colère. Maintenant que Kevin était son *chum*, sa mère changeait les règles! Elle ne leur laisserait plus d'intimité.

— Qu'est-ce que tu as? lui demanda Kevin

lorsque Mme Fontaine fut sortie.

— J'ai l'impression désagréable qu'elle ne nous laissera plus tranquille. On ne saura jamais quand elle va se pointer pour vérifier que nous sommes bel et bien habillés.

— Eh bien, dit Kevin en riant, elle vient tout juste de sortir alors j'imagine que nous avons le champ libre pour encore au moins une demi-heure. À moins qu'elle ne décide de venir chercher nos tasses vides.

Amélie sourit. Kevin s'assit sur le lit et l'embrassa avec une tendresse qu'Amélie n'avait encore jamais expérimentée. Malgré cela, elle se sentait bizarre.

— Tu m'as l'air un peu tendue, dit Kevin.

— Désolée. Je suis encore en colère contre ma mère.

— Ne sois pas inquiète, elle ne reviendra pas. Elle sait pertinemment ce que nous sommes en train de faire.

Kevin l'embrassa encore. Mais ce qu'il venait de lui dire n'avait pas réussi à détendre l'atmosphère. L'intrusion de sa mère les avait déstabilisés tous les deux. Kevin en oublia le petit sachet que contenait sa poche. Il ne se passerait rien de plus entre eux aujourd'hui qu'hier. Et même si sa mère n'était pas arrivée, rien ne laissait croire que quelque chose aurait pu se produire. Cela ne le dérangeait pas. D'ailleurs, c'était plutôt rassurant. Il but une gorgée de chocolat chaud.

— Qu'est-ce que tu aimerais faire pour ton anniversaire? lui demanda-t-il.

— Je ne sais pas, je n'y ai pas encore pensé.

Kevin la serra tout contre lui.

— C'est dans moins de trois semaines.

— C'est vrai, pensa Amélie. Il y a quelques mois, mes parents m'avaient proposé d'organiser une fête. J'ai eu beaucoup de tracas ces derniers temps. Que penses-tu de l'idée de faire un *party*?

— Ça me va, répondit Kevin en hochant la tête.

En fait, il avait plutôt songé à l'emmener dans un endroit calme et romantique. Une fête s'annonçait un événement beaucoup trop public pour son goût.

— Tu n'as pas l'air emballé.

— Non, ça pourrait être bien, et ça me donnerait la chance de rencontrer tes amis…

— Et tu pourrais inviter quelques-uns des tiens aussi. J'aimerais bien rencontrer les deux gars avec qui tu te tiens, Martin et Pat.

— Pete, la corrigea Kevin. Ouais, je suis certain qu'ils ne manqueraient pas une pareille occasion.

— Parfait. Je vais en parler avec mes parents et ensuite, nous devrons commencer à tout organiser.

Elle le prit dans ses bras et le serra contre elle, comme elle le faisait quand ils étaient petits. Kevin lui adressa un sourire peu convaincu. Intérieurement, il était persuadé que cette fête était une mauvaise idée. Il serait exposé au fou rire de ses amies. Était-il prêt à se soumettre à une pareille épreuve? Et si Martin et Pete acceptaient l'invitation, le fossé de l'âge ne ferait que s'agrandir. Kevin espérait que les parents d'Amélie lui refuseraient cette permission. Mais il savait qu'il se racontait des histoires. S'il y avait une chose qu'on pouvait affirmer au sujet d'Amélie, c'était qu'elle obtenait toujours ce qu'elle voulait.

10

Patrick Lapointe était dans la même classe de mathématiques qu'Amélie. Il était grand, avait une allure athlétique et des cheveux blonds. Il trouvait souvent le moyen de s'asseoir entre Amélie et Carole-Anne.

— Salut les filles!

Carole-Anne lui sourit tandis qu'Amélie se contenta de le saluer en inclinant la tête.

— Il y a un *party* chez moi, samedi soir. Ça vous intéresse?

Amélie se mit à réfléchir. Si elle allait à la fête de Patrick, la politesse commanderait qu'elle l'invite à la sienne. Ses parents lui avaient permis d'inviter une trentaine d'amis et pas un de plus… Carole-Anne répondit avant qu'Amélie n'ouvre la bouche.

— Certainement! C'est ton anniversaire?

— Non, mais mes parents s'en vont pendant toute la fin de semaine. Ils m'ont suggéré d'inviter des amis.

Il marqua une pause.

— Viendrez-vous… heu… seules?

Il avait regardé Amélie en posant la question mais, une fois encore, ce fut Carole-Anne qui répondit.

— Moi, oui.

Puis elle se tourna vers Amélie.

— Mais je ne sais pas si…

— Je vais demander à Kevin s'il veut venir, s'empressa de répondre Amélie. Je t'en reparlerai.

— Kevin? fit Patrick dont la curiosité venait d'être piquée à vif. Est-ce que je le connais?

— Probablement. Attends et tu verras.

M. Rochette s'approcha du trio et demanda à ses élèves s'ils avaient l'intention de travailler le jour même ou le lendemain, ce qui empêcha Patrick de poursuivre son interrogatoire.

— Patrick Lapointe! s'exclama Kevin. Mais tout ce qu'il trouve à faire avec ses amis, c'est d'écouter de la musique *heavy metal* et de boire de la bière jusqu'à ce que l'un d'entre eux soit malade!

— Tu exagères! répondit Amélie en riant. Patrick est plutôt gentil.

— Tout le monde est gentil avec toi.

— Tu veux dire que les gars sont gentils avec moi.

— Oui, répondit-il d'un ton ferme. Et ça, c'est parce qu'ils veulent sortir avec toi.

— À t'entendre, on dirait que je fais exprès pour les encourager! protesta Amélie.

— Je sais que tu ne le fais pas exprès, mais quand même, tu ne vois pas les défauts des gens et je ne suis pas certain que Patrick soit digne de confiance. Je connais son petit frère.

— Steve?

Amélie savait que Patrick avait un frère en troisième secondaire. Mais il ne lui était pas venu à l'esprit que Kevin puisse avoir des amis plus jeunes que lui.

— Oui, Steve. Patrick est toujours en train de le battre.

Amélie haussa les épaules.

— Mais c'est ce que font tous ceux qui ont des frères et sœurs plus jeunes, non?

— Peut-être, répondit Kevin. Mais je ne pourrais pas l'affirmer.

Ce qu'Amélie était bête! Kevin, tout comme elle, était enfant unique. Ses parents à elle avaient choisi de n'avoir qu'un seul enfant. Ceux de Kevin auraient souhaité en avoir plus d'un, mais cela avait été tristement impossible.

— En tout cas, tu vas venir avec moi, hein?

— Je vais y penser, répondit Kevin à contrecœur. Est-ce qu'il sait que nous sortons ensemble?

— Pas encore.

— Tu ne m'as pas déjà dit qu'il avait un faible pour toi?

— C'était il y a longtemps, mentit-elle.

Amélie savait que jusqu'à la fin de l'année scolaire précédente, Patrick avait eu un penchant pour elle. Mais cela, elle ne le dirait sûrement pas à Kevin. Que pouvait-elle y faire, si les garçons étaient attirés par elle? D'ailleurs, c'était plutôt flatteur la plupart du temps, mais d'autres fois, cela devenait agaçant. Il arrivait parfois qu'Amélie ressente de la pitié pour ses admirateurs, ce qui lui rendait difficile la tâche de les rejeter en douceur.

— Je dois partir, dit Kevin. À plus tard.

Les cours allaient bientôt reprendre. Amélie ramassa son sac. Elle allait sortir de la cafétéria quand Geneviève Hétu arriva.

— Salut Amélie!

Amélie s'arrêta net. Elle pouvait sentir l'odeur de cigarette que dégageait Geneviève même si celle-ci se trouvait à quelques pas d'elle. Amélie n'avait pas touché à une seule cigarette depuis qu'elle avait commencé à sortir avec Kevin.

— Il y a une rumeur qui court, dit Geneviève.

— Une rumeur?

Amélie savait de quelle rumeur il s'agissait.

— Le gars avec qui tu parlais il y a une minute — celui avec qui nous t'avons vue samedi… Comment s'appelle-t-il? Paquette?

— Kevin? Qu'est-ce qu'il a?

Geneviève lui lança un drôle de regard du coin de l'œil, comme si elle voulait s'excuser à l'avance de ce qu'elle était sur le point de dire.

— Il y en a qui disent que vous sortez ensemble.

Annick et Vanessa étaient venues rejoindre Geneviève. Amélie sentit qu'elles s'attendaient à ce qu'elle nie la nouvelle. Quelle que soit sa réponse, elle savait que les trois filles iraient la colporter aux quatre coins de l'école. Amélie était coincée.

— Oui, répondit-elle d'un ton ferme. Nous sortons ensemble.

Annick et Vanessa éclatèrent d'un fou rire. Amélie décida qu'elle les détestait et qu'elle ne leur reparlerait plus jamais. Geneviève, quant à elle, avait gardé son sérieux.

— Je ne comprends pas… dit-elle d'une voix grave. Il y a des gars de dix-huit, voire même de vingt ans qui courent après toi. Tu pourrais avoir qui tu veux. Mais au lieu de cela, tu choisis un gars qui n'est même pas entré dans sa puberté. Tu nous fais marcher, n'est-ce pas?

Amélie fit non de la tête.

— C'est lui que je veux, affirma-t-elle. Et vous feriez mieux de vous y habituer.

Amélie avança d'un pas. Elle voulait s'en aller. Geneviève se tourna vers Annick et Vanessa.

— On dirait bien que notre Amélie aime jouer à la mère! leur dit-elle.

— C'est tout ce que tu trouves à dire? lui demanda Amélie, amère. Tu es malade!

Elle sortit de la cafétéria. Elle les entendit scander derrière elle:

— *Amélie aime les bébés, Amélie aime les bébés!*

Amélie eut envie de rentrer sous terre. Lorsque Chantal et Carole-Anne l'avaient taquinée avec cette même phrase, elle avait pris le commentaire en riant. Mais aujourd'hui, elle trouvait cela embarrassant, presque menaçant. Et ce n'était qu'un début.

— C'est vrai?

Christian Monet avait rejoint Kevin sous la douche. Il venait de gagner contre Kevin au badminton à la suite d'un long match. Ils étaient seuls dans les douches.

— Quoi?

— Que tu sors avec Amélie Fontaine.

— Qui te l'a dit? lui demanda Kevin, irrité. Martin ou Pete?

Christian secoua sa tête mouillée.

— Ni l'un ni l'autre. J'ai entendu *une gang* de secondaire cinq en parler. Alors, ça fait combien de temps que vous sortez ensemble?

— Une semaine.

— Et jusqu'où vous êtes-vous rendus?

— Ça ne te regar… commença Kevin en fronçant les sourcils et en assénant à Christian un coup de poing sur l'épaule.

— Hé!

Kevin n'avait pas voulu faire mal à son ami, mais, ayant mal mesuré sa force, Christian alla s'affaler tête première contre le mur en glissant sur le plancher mouillé. Un craquement se fit entendre et Kevin vit ensuite Christian s'écrouler sur le sol. Il se mit à gémir pendant que Kevin jurait à voix haute.

— Es-tu correct?

Christian essaya de se relever en tenant sa tête à deux mains. Kevin dût l'aider.

— Je suis désolé, Chris. C'était un accident. Je vais t'emmener voir l'infirmière.

Christian essaya de protester. Il était clair qu'il avait été sonné. Kevin le ramena jusqu'aux casiers où quelques garçons traînaient encore.

— Allez chercher M. Fournier! leur cria-t-il. Chris s'est cogné la tête!

Puis il le fit asseoir. Christian commença aussitôt à s'éponger avec sa serviette. Kevin voulut s'excuser à nouveau mais ne réussit pas à trouver les mots. Quand le professeur arriva finalement, Christian était en train de s'habiller.

— Qu'est-ce qui s'est passé? demanda le professeur à Kevin.

— J'ai glissé sous la douche, monsieur, répondit Christian avant que Kevin n'ouvre la bouche. Je me suis cogné la tête, mais je vais bien maintenant.

— Je vais quand même m'assurer que tu n'as rien.

M. Fournier tâta la tête de Christian pour vérifier qu'il n'avait aucune contusion.

— Tu vas survivre. Mais sois plus prudent à l'avenir. Est-ce que tu faisais l'andouille?

— Non, monsieur.

— C'est plutôt rare que quelqu'un tombe sans raison.

Le professeur parti, Kevin s'empressa de remercier Christian de ne pas l'avoir dénoncé.

— Je ne voulais pas te faire mal, dit-il, mais quand on parle d'Amélie, je deviens hypersensible.

— Mais pas aussi sensible que ne l'est ma tête en ce moment, grommela Christian. Va-t'en, tu vas manquer ton autobus.

Kevin consulta sa montre et conclut que Christian

avait raison. Il tapota maladroitement l'épaule de son ami, s'excusa de nouveau, puis s'empressa de partir. Pendant qu'il courait vers l'autobus, il commença à se sentir coupable. Il aurait peut-être dû offrir à Christian de le raccompagner chez lui à pied, puisqu'il n'habitait pas loin. Il devrait trouver une façon de se faire pardonner par Christian.

Kevin remarqua les regards singuliers que lui adressèrent certains élèves quand il monta dans l'autobus juste à temps avant le départ. Il espéra qu'Amélie avait réussi à lui réserver une place. Mais quand il la chercha des yeux, les railleries commencèrent.

— Le voilà! fit une voix sarcastique. Le petit bébé d'Amélie Fontaine!

D'autres voix s'unirent à la première — celles de filles de quatrième et de cinquième secondaires — tandis que Kevin se frayait un passage jusqu'à Amélie. Il ne regarda pas derrière lui et elle ne regarda pas autour d'elle. Kevin posa son sac par terre avant de passer son bras sur les épaules d'Amélie. Un «hoooooooo» suivit immédiatement son geste, puis vinrent des commentaires désobligeants.

— Ça fait longtemps que ça dure? lui demanda-t-il.

— Depuis que je suis arrivée dans l'autobus.

Fou de rage en entendant cela, Kevin tenta malgré tout de conserver son calme.

— Ils vont se lasser bientôt, lui dit-il en essayant de dissimuler sa colère. Ils sont jaloux, c'est tout.

— J'espère que tu as raison, marmonna-t-elle, parce que je ne pourrais pas supporter ça tous les jours.

Après quelques minutes, la plupart des voix se turent. Amélie essaya de discuter avec Kevin, mais il eut du mal à s'intéresser à ce qu'elle disait tant la colère grondait en lui. Il aurait voulu frapper quelqu'un. L'épisode de Christian avait été un accident, mais certains des passagers de l'autobus auraient vraiment mérité un coup de poing.

— Et puis, qu'as-tu décidé au sujet du *party* de samedi? lui demanda Amélie.

— Est-ce que les idiots qui sont ici sont invités? grommela-t-il.

— Je ne sais pas. Peut-être. Mais nous leur tiendrons tête.

— Je ne sais pas.

Il aurait voulu lui dire qu'il n'irait pas, mais il ne savait pas comment s'y prendre.

— Écoute, reprit-il, je ne connaîtrai personne à part toi. Je préférerais attendre jusqu'à ton *party* avant de leur tenir tête. Nous serons alors sur notre propre territoire.

— Tu ne comprends pas, répliqua Amélie. Je veux que tous ces sarcasmes soient terminés avant mon *party*. Je n'ai pas envie de donner une fête où les gens insulteront mon *chum* pendant qu'ils me traiteront de toutes sortes de noms dans mon dos. Viens samedi, c'est seulement un *party*. Nous n'aurons pas à y rester longtemps…

— D'accord, si tu crois vraiment que…

Boum!

Un sac à dos venait de tomber sur Kevin et des rires fusaient de partout.

— Fais attention à toi, bébé Kevin!

Kevin se retourna pour savoir qui avait osé l'attaquer. Charles Gilbert reprenait place sur sa banquette. Kevin se leva, mais Amélie le saisit par le bras.

— Ne fais l'imbécile. Tu n'as aucune chance contre Charles. Il te tuerait.

— Je ne le laisserai pas s'en sortir comme ça!

— Tu n'as pas le choix.

L'autobus s'immobilisa et Charles descendit. Le couple resta assis en silence. Trois arrêts plus tard, ils descendirent de l'autobus à leur tour, sous une pluie de petits rires méchants et de moqueries.

— Je n'en reviens pas! s'exclama Kevin une fois qu'ils furent seuls. Comment les gens peuvent-ils être méchants à ce point?

— Tu l'as dit toi-même, répondit Amélie doucement, ils sont jaloux.

Puis après un moment de silence, elle ajouta:

— Peut-être que nous devrions nous asseoir dans la première rangée la prochaine fois.

— Et les laisser gagner? Très peu pour moi, merci!

Il l'enlaça par la taille. Il pouvait encore sentir le choc du sac à dos contre sa cuisse, mais il ne s'en plaignit pas. Amélie était ce qu'il avait de mieux dans la vie et il n'allait pas laisser Charles Gilbert ou qui que ce soit d'autre les contrarier.

— Tu as raison, lui dit-il. J'irai à ce *party*. Nous devons les affronter, leur montrer que nous resterons ensemble, quoi qu'ils puissent dire.

Amélie se tourna vers lui et lui sourit. Kevin laissa son sac tomber par terre et prit Amélie dans ses bras. Lorsqu'il l'enlaçait ainsi, le monde entier n'existait plus. Leurs lèvres soudées les unes aux autres, Kevin en oublia la douleur à sa jambe. Ils restèrent unis ainsi pendant ce qui leur parut des siècles. Puis une voiture passa à côté d'eux en klaxonnant. Ils saluèrent le chauffeur d'un geste de la main, puis reprirent leur étreinte. Kevin pressa Amélie plus près de lui. Oui, il n'en doutait plus, il était le garçon le plus chanceux de Chelsea. Peu lui importait les qu'en-dira-t-on. Le monde leur appartenait, à Amélie et à lui. Personne n'y pourrait rien changer.

11

Amélie dormit très mal ce soir-là, inquiète qu'elle était des attaques qu'elle ne manquerait pas d'essuyer. Mais il s'avéra que Kevin avait eu raison. Les railleries cessèrent après quelques jours. Le mercredi ne se passa pas trop mal. Jeudi fut une journée plus difficile, car Kevin avait une pratique de hockey après les cours. Le vendredi, ils ne défrayaient plus la manchette. Seul Charles Gilbert, continuait de leur lancer des regards hostiles. Mais Charles était toujours plus lent que les autres à comprendre.

— Veux-tu venir faire un tour chez moi ce soir? demanda Amélie à Kevin alors qu'il la raccompagnait chez elle après l'école.

— J'ai promis à Pete d'aller chez lui jouer au nouveau jeu qu'il vient d'acheter.

— Ah! O.K. On se verra demain soir dans ce cas.

— Comment allons-nous nous rendre là-bas?

— Mon père va nous y conduire.

— Parfait.

— Tu es sûr que tu veux y aller, hein? lui demanda Amélie.

— Ouais, sûr.

Amélie n'avait jamais su comment s'y prendre avec Kevin lorsqu'il s'exprimait en langage télégraphique. Elle aurait eu envie de l'inviter à entrer, mais comme elle avait l'impression qu'il refuserait, elle n'en fit rien. Ils s'embrassèrent. Kevin lui sourit, puis partit. Au fur et à mesure qu'il s'éloignait de chez elle, sa démarche devint plus assurée, comme s'il devenait plus léger.

Amélie téléphona à Chantal.

— Tu ne vois pas Kevin ce soir?

— Non. Il s'en va jouer au Nintendo.

— Ouach! Mais c'est ça sortir avec un gars de quatorze ans!

— Je sais, soupira Amélie. Veux-tu venir faire un tour chez moi?

— O.K., je vais demander à ma mère de me conduire. Vas-tu inviter Carole-Anne aussi?

Amélie réfléchit. Elle avait besoin de parler à Chantal seule à seule, car il n'y avait qu'elle qui saurait la comprendre. Chantal avait eu plusieurs petits amis alors que Carole-Anne n'avait encore jamais fréquenté personne. Cette dernière s'en plaignait d'ailleurs souvent et cela avait comme conséquence de ternir les conversations.

— Non, répondit-elle finalement. Pas ce soir.

— Oh, fit Chantal. D'accord.

Absente, Carole-Anne fut néanmoins plus présente que jamais, car elle occupa une bonne partie de la conversation.

— Nous devons absolument lui trouver un *chum*, insista Chantal. Il y aura bien quelqu'un demain soir au *party* qui lui plaira.

— Je pensais que Carole-Anne aimait tout ce qui porte le pantalon?

Chantal se mit à rire.

— Ce qui élimine Kevin automatiquement, n'est-ce pas, puisqu'il est encore aux couches?

—Aïe! fit Amélie. Je suppose que je l'ai cherchée celle-là.

— Il y a bien son ami Pete qui est plutôt mignon.

— Kevin est chez lui ce soir. Je vais lui demander de l'inviter.

— Parfait. Mais nous devons quand même lui trouver un amoureux pour demain soir. Et si on essayait de l'assortir avec Patrick?

Amélie fit non de la tête.

— Pour commencer, il mesure trente centimètres de plus qu'elle. Et je ne crois pas qu'il l'ait déjà sérieusement remarquée. Il lui parle pendant le cours de maths, mais c'est moi qu'il regarde tout le temps.

— Mais au moins il lui parle, répliqua Chantal. Il n'y en a pas beaucoup qui le font.

— Il n'y en a pas beaucoup qui ont quelque chose d'intelligent à dire, de toute façon.

— Mais Kevin, oui, ajouta Chantal en souriant.

— Oui.

— Tu devrais continuer de sortir avec lui.

La partie finie, Kevin éjecta la cartouche de la console.

— Alors, qu'est-ce que vous faites demain soir, Amélie et toi? lui demanda Pete.

— Nous allons à un *party*. Chez Patrick Lapointe.

— Chanceux! Je suis bien content de ne pas être invité!

— Je te comprends.

— Patrick n'est pas si mal, mais ses amis…

Kevin n'avait pas besoin qu'on tourne le fer dans la plaie.

— Peut-être que je réussirai à convaincre Amélie de partir de bonne heure.

— Je croyais qu'elle avait de meilleures fréquentations, dit Pete, un sourcil relevé.

Kevin haussa les épaules.

— Je ne sais pas. On ne choisit pas vraiment ses

amis, n'est-ce pas?

Pete l'interrogea du regard.

— Parle pour toi.

Kevin sourit.

— Et toi, qu'est-ce que tu fais demain soir?

— Je vais au cinéma.

— Tu as réussi à convaincre Martin d'y aller avec toi?

— Non, j'y vais avec quelqu'un d'autre, répondit-il en levant les yeux au plafond.

Kevin ne comprit pas l'allusion sur le coup. Il allait insérer une autre cartouche dans la console quand l'éclair de génie se fit.

— Une fille?

Pete lui sourit avec condescendance.

— Il n'y a pas que toi qui as des hormones, tu sais!

— Qui?

Pete secoua la tête.

— Je ne te le dirai pas.

— Allez! Tu as bien été le premier à savoir au sujet d'Amélie?

— Seulement parce que je l'avais découvert autrement.

Frustré, Kevin pensa à la meilleure façon de lui tirer les vers du nez. Mais Pete était de nature plutôt discrète et parlait peu. Kevin espérait que sa nouvelle amie parviendrait peut-être à le dérider.

— Mais tu vas l'amener au *party* d'Amélie dans deux semaines, hein?

— Si je sors encore avec elle d'ici là, peut-être que oui.

Pete passa ses cartouches de jeu en revue.

— Celui-ci? suggéra-t-il à Kevin en lui montrant la boîte.

— Alors, cette fille, elle va à Mont-Bleu?

— Je ne te dirai rien. Je ne la connais pas encore très bien.

Le niveau de curiosité de Kevin augmenta d'un cran.

— Ça veut dire que demain, c'est votre premier rendez-vous?

— Si on peut dire.

Avant que Kevin ne puisse poser une autre question, Pete inséra la cartouche de jeu dans la console, signifiant par là que la conversation était finie. Une minute plus tard, ils étaient complètement emportés par ce qui se passait à l'écran et ils avaient oublié les filles.

Amélie avait acheté un carton de six bières.

— Es-tu certaine que je ne dois pas en amener aussi? lui demanda Kevin pendant qu'ils attendaient le père d'Amélie dans le vestibule.

— Six bières à deux, c'est plus que suffisant!

Amélie portait un jean noir et un chemisier en soie assez décolleté pour qu'on voie la croix qui reposait entre ses seins. Kevin portait une chemise rose ornée d'une cravate rouge et un jean. Sa tenue vestimentaire était décevante à souhait et Amélie cherchait les mots pour lui en faire part sans toutefois le vexer.

— Je ne suis pas certaine qu'il y aura beaucoup de gars cravatés ce soir, dit-elle d'un air désinvolte.

— Ah non?

Il ôta aussitôt sa cravate et défit le premier bouton de sa chemise.

— C'est mieux?

Amélie fronça les sourcils. Une expression d'inquiétude traversa le visage de Kevin. Amélie pensa à lui prêter un de ses t-shirts. Mais il pourrait être insulté. En plus, on reconnaîtrait les vêtements d'Amélie et on s'empresserait de tourner Kevin en ridicule. Non, la situation serait pire.

— Attache ton premier bouton, dit-elle.

Kevin s'exécuta.

— Voilà qui est mieux, ça te donne plus de style.

Il sourit nerveusement. Amélie le prit dans ses bras.

— Tu es super beau.

— Toi aussi, tu es belle.

En sentant son corps si près du sien, Amélie sentit le désir monter en elle. Ils s'embrassèrent. Les lèvres de Kevin avaient un goût si doux qu'Amélie fut tentée de ne pas aller à la fête. Chantal pourrait bien s'occuper toute seule de Carole-Anne. Et Amélie n'avait rien à prouver à personne. Kevin avait raison: il aurait été préférable pour lui qu'il rencontre ses amis lors de son *party* où les invités seraient triés sur le volet. M. Fontaine arriva et tira Amélie de ses réflexions.

— Prêts?

Kevin acquiesça de la tête et enfila son manteau. Il était maintenant trop tard pour reculer. Amélie mit son blouson de cuir, puis Kevin la prit par la main. Ils allèrent s'asseoir dans l'auto.

Patrick Lapointe habitait à l'autre bout du village. Amélie repéra Carole-Anne qui marchait vers chez lui.

— Papa, peux-tu arrêter?

Carole-Anne ne les avait pas vus. Amélie baissa la vitre et sortit la tête de la voiture pour l'interpeller. Un camion roulait bruyamment et Amélie crut que Carole-Anne ne l'avait pas entendue. Mais quelques secondes plus tard, elle arriva en courant.

— Super, merci! dit-elle en montant à l'arrière de l'auto, même si le siège du passager avant était libre. C'est long aller à pied jusque chez Patrick, et je n'aime pas trop marcher dans les rues quand il fait noir.

— Tu as toutes les raisons du monde de te méfier, dit Kevin. Il y a du monde bizarre dans les rues, surtout ce soir.

— Pourquoi ce soir? lui demanda Carole-Anne.

— Parce qu'ils s'en vont tous au *party* de Patrick Lapointe!

Tout le monde rit de la blague.

— Tu es superbe, dit Kevin à Carole-Anne.

C'était bien Kevin, toujours prêt à complimenter les gens. Et c'était vrai que Carole-Anne paraissait bien. Comme il faisait très chaud dans la voiture, elle enleva son manteau. Elle était vêtue d'une minijupe noire ajustée, de leggings verts et d'un chemisier ample et chiffonné. De longues boucles en argent pendaient à ses oreilles et elle s'était maquillée. Elle paraissait avoir vieilli de cinq ans.

— C'est vrai, Carole-Anne, tu es magnifique, lui dit Amélie, incertaine toutefois du choix de vêtements de son amie et inquiète aussi que Kevin ne la préfère à elle.

— Toi aussi, répondit Carole-Anne avant de s'adresser à Kevin. Ça me fait plaisir de te rencontrer pour vrai. Je te vois à l'école, mais ce n'est pas exactement le meilleur endroit pour faire connaissance, n'est-ce pas? Et chaque fois que je vais chez Amélie, tu n'y es pas.

— Et moi qui croyais que Kevin habitait chez nous depuis qu'il avait appris à marcher! lança le père d'Amélie non sans embarrasser cette dernière.

— Comme c'est romantique! dit Carole-Anne. Amis de cœur depuis leur plus tendre enfance!

Amélie voyait que Kevin rougissait.

— Il n'y a que douze jours que nous sommes amis de cœur, répondit Amélie. Avant, nous étions plus comme frère et sœur.

— À moins que vous ne vous jouiez la comédie, répliqua Carole-Anne, malicieusement.

Amélie n'aimait pas beaucoup le sens que prenait la conversation, surtout que son père et Kevin étaient là. Elle fut soulagée lorsque l'auto s'immobilisa finalement devant la demeure de Patrick.

— Si vous voulez revenir avant onze heures et demi, téléphonez-moi, leur dit M. Fontaine. Après, je serai couché. Ne me faites pas trop attendre. Compris?

Amélie fit oui de la tête et le salua. Carole-Anne était déjà près de la porte d'entrée. L'air était frais, Amélie frissonna. Elle remonta la fermeture éclair de son blouson. Elle entendait déjà la musique qui retentissait depuis la maison. Elle entendit un bébé pleurer au loin. Des lumières multicolores scintillaient à travers les rideaux. On avait remplacé les ampoules blanches par des ampoules rouges au rez-de-chaussée et des vertes à l'étage. Ç'aurait dû être le contraire, pensa Amélie. Carole-Anne frappa à la porte. Kevin prit Amélie par la taille. Elle sentit qu'il était étonnamment détendu.

— J'ai quelque chose à te dire avant de rentrer, lui dit-il.

— Quoi?

— Au cas où ça devrait mal se passer et que tu me détesterais avant la fin de la soirée.

— Ne sois pas stupide, qu'est-ce que c'est?

— Carole-Anne et ton père avaient raison, commença-t-il d'une voix tendre, j'ai toujours été amoureux de toi et je le serai toujours. Tant et aussi longtemps que je pourrai marcher, tu ne pourras pas m'empêcher de t'aimer.

Il la serra sur son cœur.

— C'est la plus belle chose qu'on m'ait dite de

toute ma vie, lui murmura Amélie à l'oreille.

Elle aurait voulu ajouter qu'elle l'aimait aussi, mais Carole-Anne les interrompit.

— Allez, les tourtereaux! C'est l'heure d'aller s'amuser!

Et ils entrèrent tous les trois.

12

Kevin repéra immédiatement deux filles de son école: Louise Ouellette et Nathalie Lachance. Cette dernière était dans presque tous ses cours. Kevin les salua en inclinant la tête, mais elles l'ignorèrent toutes les deux. Il suivit Amélie jusque dans une chambre à l'étage, où ils déposèrent leur manteau. En redescendant l'escalier, ils rencontrèrent leur hôte, Patrick Lapointe, qui salua Amélie. Il a l'air ridicule avec son t-shirt blanchi et son jean troué, pensa Kevin.

— Qui t'a invité? lui demanda Patrick, visiblement contrarié.

Kevin sentit qu'il rougissait à vue d'œil.

— Kevin est avec moi, Patrick. Nous sortons ensemble.

Interdit, Patrick regarda Kevin, puis Amélie, puis Kevin. L'expression de son visage passa de l'incompréhension à l'incrédulité.

— Heu… O.K., fit-il finalement avant de continuer dans l'escalier.

— On dirait bien que tout le monde n'est pas au courant à notre sujet, dit Kevin à Amélie.

— On dirait bien.

Voulant éviter la musique tonitruante du salon, ils allèrent à la cuisine chercher à boire. Kevin était soulagé de voir que tous les invités ne venaient pas de son école. Amélie lui présenta Marc-André Tanguay, étudiant au cégep, et sa petite amie, Cynthia. Marc-André, plutôt grand et costaud, était un ami d'Éric. Amélie et lui commencèrent à parler d'un concert qu'ils avaient vu plus tôt dans l'année. Kevin s'entretenait poliment avec Cynthia.

— Est-ce que tu vas au cégep, toi aussi?

— Non, je vais au Collège Saint-Joseph. Mais j'irai au cégep l'an prochain.

Le Collège Saint-Joseph était une institution d'enseignement privée pour filles seulement.

— Comment as-tu connu Patrick?

— Je n'habite pas très loin d'ici. Nous faisons du sport ensemble quelquefois. Remarque que je ne m'attendais pas du tout à ce genre de *party*.

Elle regarda vers le salon où des danseurs allaient se jeter contre les murs.

— Je crois qu'on appelle ça du *slam*, dit Kevin.

— Je croyais que ce n'était plus à la mode depuis des années. Personnellement, je préfère danser des *slows*.

Claude Gervais, un élève de l'école secondaire De l'Île, arriva du salon avec Suzie Turgeon à son bras. Suzie était l'une des plus belles filles de quatrième secondaire à Mont-Bleu. Kevin et elle s'étaient toujours bien entendus.

— Salue, Mélie, dit Claude en rotant.

Amélie détestait qu'on raccourcisse son prénom, mais elle sourit quand même poliment. Kevin salua Suzie. Elle l'ignora et se tourna vers Claude et lui murmura quelque chose à l'oreille. Claude lança un regard en coin vers Kevin, attrapa une canette de bière et s'en alla. Kevin les regardait se diriger vers le salon quand la porte d'entrée s'ouvrit. Chantal entra, entourée d'un groupe d'amis de son voisinage. L'un d'eux s'appelait Michel, Kevin le connaissait. Chantal lui présenta ses autres camarades et Kevin décapsula une autre bouteille de bière. La soirée se déroulait beaucoup mieux qu'il ne l'avait prévu.

Amélie se sentait plus détendue. Ils n'avaient eu droit à aucun commentaire désobligeant, aucune moquerie, même si certaines œillades méchantes avaient été inévitables. Grâce au ciel, les invités ne fréquentaient pas tous Mont-Bleu. Marc-André Tanguay était le seul des amis d'Éric qu'Amélie aimait; en plus d'être beau et aimable, il écoutait ce qu'on lui disait d'une oreille attentive et ne se contentait pas seulement de parler de lui. Elle s'amusait bien. Kevin semblait s'amuser aussi. Il parlait de hockey avec Michel Gagnon, un beau grand garçon de l'école d'Amélie.

— C'est étrange je ne vois Carole-Anne nulle part, dit Chantal.

Amélie se rendit compte qu'elle n'avait plus revue son amie depuis qu'ils étaient arrivés tous les trois ensemble.

— Pourtant elle est ici, répondit Amélie. C'est nous qui l'avons amenée.

— Où est-elle alors? Nous sommes supposées lui trouver un gars, tu te souviens?

Amélie fit oui de la tête. Puis, se tournant vers Kevin, elle lui dit que Chantal et elle allaient à la recherche de Carole-Anne.

— O.K.

Chantal regarda par la fenêtre et secoua la tête de gauche à droite. Il faisait beaucoup trop froid pour passer la soirée dehors.

— Penses-tu qu'elle est en haut? lui demanda Amélie.

— J'en doute. Il aurait fallu qu'elle soit pas mal vite sur ses patins, non? Et puis la file pour les toilettes avance assez rapidement, c'est donc dire qu'elle n'y est pas.

— Et ici?

La pièce qui séparait la cuisine du salon était fermée. On avait affiché un avertissement sur la porte: «Prière de ne pas entrer».

— Essayons tout de même, dit Chantal.

Amélie tourna la poignée. La porte de la salle à manger s'ouvrit.

— Carole-Anne?

La pièce baignait dans la noirceur et était apparemment complètement déserte. Mais, quand Amélie ouvrit la porte plus grande, elle put distinguer les formes de deux corps étendus sur le plancher, près de la fenêtre.

— Carole-Anne? murmura Chantal.

— Ce n'est pas elle, dit Amélie.

Elles refermèrent la porte.

— Dans ce cas, reprit Chantal, elle doit être…

Quelqu'un vint se heurter contre la porte du salon qui s'ouvrit sous le choc. Amélie reconnut la musique qui jouait si fort, que c'en était presque insupportable: c'était la musique d'un groupe qu'Éric adorait. La porte se referma.

— Devrions-nous y aller? suggéra Amélie.

— Entrons ensemble, répondit Chantal.

Elles ouvrirent la porte. Amélie prit bonne note de ne pas inviter quiconque se trouvait dans cette pièce à *son party*. Les meubles tremblaient. Malgré la lumière rouge et le nombre d'occupants, Amélie pouvait voir que les murs étaient couverts de bière. Elle repéra Carole-Anne. Son amie était en sueur, il devait y avoir un bon moment qu'elle dansait. Elle sautait de plus en plus haut en même temps que Patrick. Carole-Anne remarqua Chantal et Amélie et leur sourit.

— Vous manquez tout le plaisir! Venez!

— C'est un peu trop fort pour nous, s'écria Chantal sans se soucier si Carole-Anne l'entendait ou non.

Nicolas Fauteux, qui étudiait l'anglais avec Amélie, se fraya un passage jusqu'à elle.

— Tu es bien belle ce soir, Amélie! Viens danser.

Amélie refusa d'un signe de tête poli.

— Ça n'est pas mon genre de musique.

— Je vais demander à Patrick de faire jouer autre chose.

— Pas la peine, ça va.

La porte s'ouvrit. Marc-André Tanguay passa la tête dans l'embrasure.

— Il y a trop de monde ici, dit-il à Amélie. Nous allons à un autre *party*. Tu peux venir avec nous si tu veux.

— Non merci.

Amélie aurait bien aimé s'en aller sur-le-champ, mais elle ignorait si Kevin était également invité. Marc-André avait l'air déçu.

— On se reprendra.

Nicolas, laissé pour compte par Amélie, alla s'écraser contre le mur, tout près de Marc-André. Cynthia salua Patrick de la main mais, trop absorbé par Carole-Anne, il ne la remarqua pas. Chantal regarda Amélie et haussa les épaules.

— Chaque chaudron a son couvercle!

Elles voulurent sortir de la pièce, mais le corridor était trop engorgé. Patrick leur avait dit qu'il n'avait invité que quelques personnes. Il devenait de plus en plus évident qu'il avait perdu le contrôle de la situation. Quelqu'un avait enlevé l'affiche sur la porte de la salle à manger qui était maintenant pleine à craquer. Chantal alla rejoindre Michel Gagnon avec qui elle entreprit la conversation. Amélie se mit à la recherche de Kevin. Elle alla à la cuisine. Il y faisait si chaud qu'on avait ouvert la porte. Kevin demeurait introuvable. Michel et Chantal discutaient toujours, appuyés contre un mur de la salle à manger. Amélie ne tenait pas à les interrompre, mais au bout d'un moment, alors qu'elle n'avait toujours pas trouvé Kevin, elle se résolut à le faire.

— Michel, aurais-tu une idée de ce qui est arrivé à Kevin?

Michel haussa les épaules.

— Il y a des gars de l'école qui sont arrivés et qui ont commencé à lui parler. Ils sont peut-être sortis dehors.

— Dehors? Et pourquoi donc?

— Pour se rafraîchir peut-être. Il faisait très chaud dans la cuisine. C'est pour ça que nous sommes venus dans la salle à manger.

Amélie retourna à la cuisine. Les bouteilles et les canettes de bière avaient presque toutes disparu. Les nouveaux arrivants, des élèves de son année pour la plupart, avaient encore leur manteau sur le dos. Ils tenaient dans leurs mains les bouteilles de bière qu'ils avaient apportées. Aucun signe de Kevin. Amélie remarqua une jolie fille près de la porte qui était à nouveau fermée.

— Excuse-moi — c'est bien Suzie ton nom? —, aurais-tu vu mon *chum*, Kevin?

Suzie Turgeon se retourna, laissant pantois le garçon qui lui parlait. Elle regarda Amélie d'un air dédaigneux, puis inclina la tête vers la porte.

— Je crois qu'il est dehors en train d'avoir une *conversation privée*.

Amélie ouvrit aussitôt la porte. La première chose qu'elle vit fut deux filles en train de rigoler pendant qu'elles regardaient dans le fond du jardin. Puis, Amélie comprit ce qu'elles regardaient: trois garçons de sa promotion, Sylvain Bertrand, Danny Asselin et

Marc Poissant tenaient quelqu'un cloué au sol et le couvraient de coups de pied.

— Voilà qui devrait t'apprendre…

— Tu n'as pas à t'approcher de nos filles…

— Tu as l'air moins intelligent maintenant, hein?

— Laissez-le tranquille! cria Amélie.

Elle voulut courir vers les garçons qui l'ignorèrent. C'est à ce moment que les filles l'empoignèrent.

— Toi, tu ne te mêles pas de ça!

— Laissez-moi!

Amélie réussit à se libérer de l'emprise des filles.

— Qu'est-ce que vous avez dans la tête? C'est correct pour vous de courir avec des gars plus vieux, mais vous ne pouvez pas supporter l'idée que je sorte avec un gars plus jeune que moi?

— Tu as tout compris! déclara la plus téméraire des deux filles.

L'autre fille lui lança une foule d'obscénités. Elles l'empêchèrent d'aller rejoindre Kevin qui se trouvait toujours plaqué au sol et qui recevait une pluie de coups de pied. Amélie devait rapidement trouver une solution. Ils étaient trop nombreux. Elle courut à l'intérieur de la maison et traversa la cuisine en espérant y trouver un visage sympathique. Chantal et Michel étaient introuvables. Elle réussit à se frayer un passage jusqu'au salon. Il n'y avait plus d'espace pour danser. Dans un coin, Patrick et Carole-Anne s'embrassaient. Elle appela Patrick, mais il ne l'entendit pas. Personne n'entendait quoi que ce soit à cause du bruit.

Amélie marcha droit vers le système de son. Ne sachant pas quel bouton tourner, elle opta pour la solution la plus radicale: elle se pencha et arracha la fiche de la prise de courant. La musique se tut sur-le-champ. Avant que les fêtards ne puissent se plaindre,

Amélie se mit à hurler en direction de Patrick:

— Tes amis sont en train de battre mon *chum* dehors. Tu dois aller les arrêter TOUT DE SUITE!

Patrick hésita pendant un moment, mais Carole-Anne s'écarta de lui pour se rapprocher d'Amélie.

— Fais quelque chose! ordonna-t-elle à celui qu'elle venait tout juste d'embrasser.

Il suivit Amélie et Carole-Anne et d'autres l'imitèrent. Michel et Chantal rejoignirent le groupe dans le corridor. Patrick se parlait à lui-même:

— Mais d'où sort tout ce monde? Je n'ai jamais invité tous ce monde-là!

Ils arrivèrent dans le jardin. Kevin, toujours sur le sol, s'était recroquevillé en position fœtale. Sylvain, Danny et Marc riaient en le regardant de haut. Les deux filles étaient allées se cacher en voyant la bande arriver.

— Laissez-le tranquille! cria Patrick. Et d'abord, qui vous a invités?

Amélie craignit que la situation ne dégénère en bagarre générale. Mais quand les trois durs se rendirent compte qu'ils étaient en infériorité numérique, ils laissèrent Amélie passer. Elle aida Kevin à se relever. Il esquissa un faible sourire.

— Je commençais à me demander quand arriveraient les renforts.

Doucement, elle l'aida à marcher jusque dans la maison.

13

La fête était terminée. Dès que Patrick se rendit compte du nombre de fauteurs de trouble qu'il y avait chez lui, il décida de mettre tout le monde dehors. Pendant que les lieux se vidaient, Kevin se débarbouillait du mieux qu'il pouvait dans la toilette, avec Amélie à ses côtés. Son nez saignait toujours abondamment. Il savait qu'il lui serait difficile de livrer ses journaux le lendemain matin. Sa chemise était déchirée et couverte des traces noires qu'avait laissé chaque coup de chaussure porté contre lui. Dans le corridor, Carole-Anne souhaitait bonne nuit à Patrick en l'embrassant. Elle l'avait aidé à nettoyer, mais il resterait à Patrick beaucoup d'explications à donner à ses parents. Amélie descendit avec les manteaux dans ses bras. Elle aida Kevin à enfiler le sien, puis le soutint d'un bras. Mais même ce petit bras posé contre lui le faisait souffrir.

— Es-tu certain que tu ne veux pas aller à l'urgence? demanda M. Fontaine à Kevin dans la voiture.

— J'en suis sûr, répondit Kevin, gêné que le père d'Amélie le voie dans un état pareil.

— Nous te ramènerons au moins chez nous pour que tu mettes un chandail propre.

— Ce n'est pas la peine, dit Kevin. Je veux seulement rentrer chez moi me coucher. Je n'ai rien de cassé, je vais survivre!

Ils roulèrent en silence. Quand Kevin rentra chez lui, ses parents, heureusement, n'étaient pas de retour. Il se doucha rapidement. Il alla ensuite se coucher, sans même se sécher ni le corps ni les cheveux.

Quand son réveille-matin sonna sept heures plus tard, Kevin ressentit des douleurs partout sur le corps. Il se leva tranquillement. Il n'était pas convaincu qu'une fille, même Amélie, valait la peine qu'on souffre tant. Néanmoins, il descendit péniblement à la cuisine où il avala un bol de céréales. Il alla ensuite sortir son vélo du garage. Il lui fallut deux essais avant de réussir à l'enfourcher.

Depuis qu'il fréquentait Amélie, Kevin avait instauré une espèce de rituel pour la distribution des journaux. Il avait changé l'ordre de distribution de manière à ce qu'il termine toujours chez elle. Il avait ainsi l'impression que sa ronde se transformait en une quête d'Amélie. Les Fontaine étant des lève-tard, ils ne s'étaient pas encore rendu compte que *Le Droit* leur parvenait quinze minutes plus tard les jours de semaine et une demi-heure plus tard le dimanche.

Ce matin-là, cependant, Kevin mit deux fois plus de temps à compléter sa ronde — deux heures plutôt qu'une. Il était passé neuf heures quand Kevin arriva chez les Fontaine. Le père d'Amélie était debout. En fait, il était déjà occupé à laver sa voiture. Il salua Kevin amicalement.

— Je devais trouver quelque chose à faire pour passer le temps, lui dit-il en pointant la voiture du doigt, puisque je n'avais pas de journal à lire.

— Je suis désolé, dit Kevin. Je suis plutôt lent ce matin.

— Je suis même surpris que tu sois là, continua M. Fontaine. Tu dois avoir mal partout. Il n'y avait personne pour te remplacer?

— J'aurais pu trouver quelqu'un, dit Kevin, mais je n'aurais pas été payé. Et je dois économiser le plus d'argent possible.

M. Fontaine sourit en prenant son journal.

— Je crois deviner pourquoi.

Un lourd silence s'installa. Kevin était à califourchon sur son vélo, un pied sur une pédale et l'autre sur le sol. Il allait partir quand M. Fontaine parla de nouveau.

— Tu dois te sentir dans tes petits souliers après ce qui t'est arrivé hier. Je sais que c'est comme ça que je me serais senti.

Kevin fit un signe de tête affirmatif.

— Mais qu'est-ce que tu aurais pu faire contre cette bande de raseurs?

— Pas grand-chose, je suppose.

— Amélie est très bouleversée. Elle pense qu'elle n'aurait pas dû te laisser seul.

— C'est ridicule, protesta Kevin. Elle n'aurait pas pu empêcher une bande d'imbéciles de me trouver s'ils me cherchaient.

— C'est ce que je lui ai dit, mais il faudrait que tu le lui répètes. Je pense bien qu'elle passera te voir aujourd'hui. As-tu terminé ta ronde?

Kevin fit oui de la tête. La conversation — la plus longue qu'il ait eue avec M. Fontaine jusqu'à ce jour — était terminée. Il rentra chez lui avec l'intention de retourner se coucher. Mais le sort en avait décidé autrement. Sa mère l'intercepta au pied de l'escalier.

— Tu reviens tard aujourd'hui.

— Hum.

Elle s'approcha de lui.

— Qu'est-ce qui est arrivé à ton nez? On dirait qu'il a saigné.

— Ce n'est rien.

— Et ça? demanda-t-elle en lui montrant la

chemise rose. Je l'ai trouvée dans le fond de ta garde-robe. Ça aussi, *ce n'est rien*?

Amélie se leva tard. Elle avait mal dormi. Elle sortit de sa chambre vers onze heures et fut surprise de trouver sa mère à la cuisine, en train de lire le journal. Elle lui en fit la remarque.

— Il est arrivé tard, la renseigna sa mère. Kevin n'est pas très rapide ce matin.

— Il a fait sa ronde? demanda Amélie qui n'en croyait pas ses oreilles. Après ce qui lui est arrivé hier soir?

— C'est un garçon très orgueilleux.

— Je sais.

Amélie se versa un verre de jus d'orange. Elle s'assit et chercha un des cahiers spéciaux du dimanche.

— Tu as dû être mal à l'aise hier soir, lui dit sa mère.

— À qui le dis-tu! répondit-elle en grimaçant au souvenir de l'horrible scène. Patrick a commencé par sortir les excités avant de mettre tout le monde dehors… Évidemment, tout le monde a pensé que c'était la faute de Kevin si la fête se terminait si abruptement.

— Avait-il bu?

— Kevin? fit Amélie en secouant la tête. Il faudrait lui administrer de l'alcool par intraveineuse pour qu'il en prenne déraisonnablement.

— Il n'y était donc vraiment pour rien.

— Bien sûr que non. Ils se sont simplement pointés au *party*. Ils ont entendu dire que Kevin était là avec moi, puis ils l'ont entraîné dehors.

Mme Fontaine secoua la tête.

— Il m'arrive de regretter de ne pas t'avoir inscrite dans une école privée. Tous ces durs qui vont à ton école, sans parler des pauvres résultats que tu y obtiens.

— Cela n'a rien à voir avec mon école. Je détesterais encore plus l'école si tu m'avais envoyée étudier avec des snobs. Je ne suis pas du type académique, c'est tout.

Elle n'avait aucunement envie de se soumettre à la conversation mensuelle ayant pour thème: *Ce qu'Amélie fera de sa vie.* Elle se dépêcha d'avaler son jus d'orange pour y échapper.

— Je crois que je vais aller voir Kevin pour prendre de ses nouvelles, annonça-t-elle en se levant.

— Bonne idée, mais dis-moi une chose, Amélie…

— Laquelle?

— Tu ne vas pas le quitter à cause des problèmes que vous avez eus, hein?

— Non, répondit Amélie mal à l'aise. Bien sûr que non. Pourquoi ferais-je une chose pareille?

— Tu as dit que vous sortiez ensemble à titre d'essai. Je me demandais simplement si la période de probation touchait à sa fin.

— Ça fait seulement deux semaines que nous sortons ensemble, se lamenta Amélie. C'est bien évident que notre entourage aura besoin de plus de temps pour s'habituer à l'idée. Mais ça, c'est leur problème et non pas le nôtre.

— J'espère que tu dis vrai.

Amélie frappa à la porte des Paquette d'une main nerveuse. Elle s'attendait à ce que la mère de Kevin l'accuse d'avoir laissé battre son fils. Mais Mme Paquette se montra avenante.

— Veux-tu un verre de jus? Tu pourrais en monter un à Kevin.

— Où est-il?

— Dans sa chambre. Il soigne ses petits bobos.

— Je suis désolée pour ce qui est arrivé hier soir.

Je n'arrête pas de penser que c'est ma faute.

— Ne dis pas n'importe quoi. Mais j'espère qu'aucun de ces garçons ne viendra à ton *party*.

— Seulement Patrick. Celui qui a mis fin à la bagarre. Il sort avec une de mes meilleures amies.

Amélie apporta un verre de jus à Kevin. Comme elle avait les deux mains pleines, elle ne prit pas la peine de frapper à la porte et s'annonça en même temps qu'elle entra.

— Hein?

Le rideau était tiré. Kevin était au lit et il semblait dormir.

— Salut.

Kevin cligna des yeux et entreprit de s'asseoir. Il avait l'air aussi vulnérable que délicieux.

— Ne bouge pas, dit Amélie en posant les verres sur la table de chevet. Je vais aller te rejoindre.

Elle poussa sur le verrou de la porte, puis elle enleva son chandail. Elle alla ensuite s'étendre à ses côtés sous les couvertures. Un sourire se dessina instantanément sur le visage du blessé. Ils se cajolèrent et s'embrassèrent. Kevin grogna. Amélie l'embrassa avec plus d'entrain. Kevin grommela de nouveau.

— L'esprit y est, lui dit-il, mais… écoute, pourrais-tu sortir du lit, s'il te plaît? Tu me fais mal!

Une fois remise de son embarras, Amélie compta le nombre d'ecchymoses que Kevin avait sur le corps.

— Mais c'est terrible!

— Tu devrais voir ceux qui m'ont fait ça, railla-t-il. J'ai peut-être des *bleus* partout, mais eux, ils sont franchement laids!

Amélie éclata de rire. Puis ils burent leur verre de jus en silence. Amélie finit par comprendre que Kevin attendait qu'elle parte pour se lever. Il lui dit qu'il avait des devoirs à faire.

— Moi aussi, dit-elle. C'est pour ça que je suis venue chez toi.

Mais elle partit quelques minutes plus tard. Kevin, comme il en avait l'habitude, voyait ses amis en ce dimanche après-midi. Amélie passa un coup de fil à Chantal, mais cette dernière était sortie. Elle appela chez Carole-Anne juste à temps, car elle s'en allait chez Patrick.

— La maison est encore tout à l'envers, et nous avons jusqu'à ce soir pour tout remettre en ordre. Ses parents n'arriveront pas avant. Ça me fait une belle excuse pour aller le voir.

— Fais attention, lui recommanda Amélie. La prochaine chose que tu vas nous annoncer, c'est que tu repasses ses chemises.

Carole-Anne éclata d'un rire franc.

— Je ferai n'importe quoi pour lui plaire.

Amélie resta songeuse.

— Mais est-ce qu'il te plaît vraiment, Carole-Anne? Je veux dire pour ce qu'il est et non pas parce qu'il t'a montré un peu d'intérêt hier soir?

— De quoi parles-tu au juste quand tu dis «un peu d'intérêt»? Il m'a dit que ça faisait des semaines qu'il essayait de rassembler tout son courage pour m'inviter à sortir. En fait, il a organisé cette fête uniquement dans l'espoir que je vienne.

— Vraiment? Eh bien, c'est super!

Amélie se souvint que la veille encore, elle était convaincue que Patrick n'en avait que pour elle. Elle avait cru que Patrick avait invité Carole-Anne seulement par politesse. Carole-Anne annonça qu'elle devait partir. Elles se mirent d'accord pour aller au centre commercial le lendemain après l'école. Amélie raccrocha puis, à contrecœur, commença à faire ses devoirs.

Elle eut du mal à se concentrer. Amélie pensait

sans cesse à Kevin, couvert d'ecchymoses. Elle l'aimait tant, mais il était si jeune, si vulnérable. La fête qu'elle préparait l'inquiétait. Seulement vingt-cinq mois les séparaient, mais ce soir-là il aurait quatorze ans et elle en aurait dix-sept. Pendant trois semaines, le mur qui se dresserait entre eux serait encore plus infranchissable. Arriveraient-ils à le contourner?

14

— Je suppose que c'était trop demander, dit Chantal alors qu'elles marchaient en direction du Body Shop, que nous ayons toutes les trois un *chum* en même temps.

Chantal avait l'air triste. Elle avait passé toute la soirée du samedi à bavarder avec Michel Gagnon, mais il ne l'avait pas invitée à sortir et n'avait pas non plus essayé de l'embrasser.

— Il est si gentil, protesta Chantal. Et on ne peut pas dire qu'il soit timide.

— C'est vrai qu'il est gentil, dit Amélie. Et vous vous entendez bien. Mais cela ne veut pas nécessairement dire que vous êtes faits l'un pour l'autre.

— Ça me semble déjà assez suffisant, intervint Carole-Anne.

— Il est peut-être homosexuel, suggéra Amélie. Beaucoup de gens le sont.

Chantal n'avait pas envisagé cette possibilité.

— Tu trouveras bien quelqu'un d'autre, dit Amélie pour la rassurer. Sans problème!

— Nous ne sommes pas toutes comme toi, Amélie, répliqua Carole-Anne. Tous les gars ne tombent pas forcément à nos pieds.

C'est dommage, pensa Amélie. Les trois amies s'étaient donné rendez-vous pour célébrer le fait que

Carole-Anne avait un petit ami pour la première fois de sa vie et au lieu de cela, elles consolaient Chantal. Il restait douze jours avant la fête d'Amélie. Elle aurait donc amplement le temps de trouver un cavalier à Chantal.

Pendant qu'elles se couvraient les joues de fard, Amélie leur décrivit les ecchymoses de Kevin.

— Est-ce que tu te demandes si tu devrais continuer de le voir depuis ce qui s'est passé? lui demanda Chantal.

— Est-ce que tu insinues que je devrais le quitter maintenant qu'il s'est fait battre à cause de moi? répliqua Amélie sur un ton affligé.

— Ce n'est pas ce que j'ai dit, se défendit Chantal. Tout ce que je voulais dire, c'est que les harcèlements ne sont pas près de cesser.

— Mais bien sûr que ça s'arrêtera, dit Amélie. Les gens finiront bien par s'habituer à l'idée que Kevin et moi, c'est du solide.

— Éventuellement, dit Chantal. Évidemment qu'éventuellement, vous serez tous les deux dans la vingtaine et que personne ne se souciera de savoir lequel de vous deux est plus jeune que l'autre. Mais pendant que vous êtes encore tous les deux au secondaire, les choses ne seront peut-être pas facile.

— Tu exagères. Ça ne sera pas si pire.

— J'espère que tu as raison, répondit Chantal.

L'organisation de sa fête occupa beaucoup Amélie durant les douze jours qui suivirent. Le *party* de Patrick Lapointe était un exemple de fête à éviter. Amélie voulait que sa fête soit parfaite.

Étrangement, les élèves de l'école commencèrent à se montrer de plus en plus gentils envers elle au fur et à mesure que la date fatidique approchait. Oh, il y eut bien quelques murmures occasionnels et des petits accrochages, mais c'étaient des élèves de quatrième secondaire qui osaient la défier, et Amélie se fichait éperdument de ce qu'ils pouvaient penser d'elle. Les garçons qui avaient rossé Kevin se tinrent à l'écart. S'ils lui causèrent quelques problèmes, Kevin ne lui en parla pas. L'autre but qu'elle s'était fixé pour sa fête, c'était de trouver un amoureux à Chantal.

— Et que penses-tu de Marc-André, qui était au *party* de Patrick? suggéra Carole-Anne. Il était plutôt sympathique.

— Il a déjà une blonde, se rappela Amélie. Elle s'appelle Cynthia et elle est vraiment jolie.

— C'est une amie de Patrick, lui dit Carole-Anne. Je ne crois pas que leur relation soit très sérieuse.

— Voici ce que je te suggère, dit Amélie. Je vais téléphoner à Marc-André pour l'inviter et je vais lui demander d'amener un ami. Comme ça, même s'il est avec Cynthia, son ami pourra parler avec Chantal.

Ce plan fut donc arrêté. Mais Amélie se souciait du nombre de garçons par rapport au nombre de filles. Elle avait droit à un maximum de trente personnes et elle avait déjà invité seize garçons. Par contre, deux d'entre eux étaient des amis de Kevin, ce qui ne compte pas vraiment, décida-t-elle finalement.

De son côté, Kevin ne savait pas trop s'il avait envie de participer à la fête ou non. Il n'avait pas vu Amélie très souvent pendant les deux semaines qui avaient suivi la fête de Patrick. S'il avait réussi à épargner de l'argent pour lui offrir un cadeau, il ne disposait pas de beaucoup d'argent de poche. D'ailleurs, les examens de la première étape approchaient à grands pas et il ne voulait pas obtenir de mauvais résultats. Kevin se considérait comme un élève moyen — ni particulièrement brillant ni particulièrement enclin à remettre ses travaux avant les échéances. Mais d'habitude, et en travaillant plus fort que certains autres élèves, il arrivait à avoir des notes satisfaisantes.

Depuis les événements malheureux qui s'étaient déroulés chez Patrick, Kevin était arrivé à la conclusion que toutes les filles de quatrième lui en voulaient. Mais il en ignorait la raison. Il choisit de ne pas en parler à Amélie. Elle était convaincue que leur différence d'âge n'intéressait plus personne. Kevin ne tenait d'ailleurs pas à lui rappeler tous les problèmes qu'ils avaient eus. Il faisait très attention pour ne pas se retrouver en compagnie de garçons de cinquième, ce qui était plutôt facile. Mais il ne pouvait pas ignorer les regards que lui lançaient les filles pendant les cours.

Pourtant, il s'était bien entendu avec la plupart d'entre elles depuis le début de l'année. Il y avait même certains cours où il était le seul garçon. Cela lui convenait. Il préférait souvent travailler avec des filles, leur compagnie lui était plus agréable et il les trouvait souvent plus mûres et généreuses que les garçons. Elles riaient volontiers. Elles parlaient de musique, de vedettes ou de leurs camarades. Alors que les garçons rigolaient que de farces bêtes et ne planifiaient que des mauvais coups.

Mais, depuis qu'elles avaient appris qu'il sortait avec Amélie, aucune d'entre elles ne voulait travailler en équipe avec lui. Kevin travaillait en solitaire ou avec des garçons au comportement agaçant. D'ailleurs, avec le recul, il lui semblait maintenant que les filles n'avaient pas des comportements aussi intelligents qu'il ne l'avait d'abord cru. Elles étaient souvent stupides et certaines éclataient parfois d'un rire hystérique pour des balivernes — des sous-entendus à connotation sexuelle, la façon qu'avait telle personne de parler…

Seule une minorité continuait à le traiter avec

gentillesse. Hélène Scott ne travaillait plus avec lui, mais elle n'était jamais méchante. Pourtant, et c'était ironique, elle aurait été la seule à avoir des raisons de le détester. Il lui arrivait parfois de penser que sa vie aurait été moins compliquée s'il avait continué de fréquenter Hélène, plutôt qu'Amélie. Alors, il n'aurait pas eu à subir les insultes des garçons plus âgés. Au lieu de cela, il devait regarder tout autour de lui lorsqu'il se rendait aux toilettes.

Kevin avait acheté à Amélie un médaillon en argent en forme de cœur orné d'une chaîne, elle aussi en argent. Le cœur était plutôt banal, mais Kevin était d'avis que plus les choses étaient simples, plus les messages étaient clairs. À l'endos du cœur, il avait fait graver «De K à A» avec un grand «X». Amélie pourrait insérer une petite photo de lui dans le pendentif, si elle en avait envie. Il gardait toujours dans son portefeuille la photo d'Amélie qu'il avait réclamée de l'album de famille des Fontaine. Il aurait bien aimé avoir une photo d'elle et de lui ensemble. Il emprunterait la caméra de sa mère et en prendrait une ce soir. Pete viendrait à la fête en compagnie de sa mystérieuse petite amie. Martin avait également confirmé sa présence, mais Kevin s'attendait à ce qu'il se défile à la dernière minute. Amélie avait suggéré à Kevin qu'il invite d'autres garçons de son âge. Le seul qu'il aurait souhaité inviter était Christian Monet. Ils n'avaient pas rejoué au badminton depuis le jour où Kevin l'avait assommé accidentellement. Depuis, lorsqu'ils jouaient au hockey, il était assez rare que Christian lui fasse une passe. Kevin avait bien essayé à quelques reprises d'amorcer une conversation avec son ami, mais chaque fois, ce dernier s'était rebiffé. Kevin ne l'invita donc pas.

Sa mère lui avait acheté une chemise noire pour remplacer celle qui avait été détruite au *party* de

Patrick. Il la boutonna jusqu'au col, enfila un jean noir et alla se regarder dans la glace. Le noir mettait en évidence le bleu de ses yeux et la blondeur de ses cheveux. Ce soir serait son soir. Il serait le plus jeune de la fête. Et puis après? Il sortait avec la plus belle fille de l'école, et la fête était donnée en son honneur. Ce soir, Kevin serait l'égal de tous. La fête chez Patrick ne serait plus qu'un vilain souvenir.

— Tu es très beau, lui dit sa mère. Il pleut dehors, je vais aller te reconduire.

Amélie habitait à cinq minutes de marche de chez lui, mais sa mère le reconduit tout de même en voiture. Kevin tenait fermement le petit paquet dans sa main.

— Je suis certaine qu'elle aimera ton cadeau, ajouta-t-elle avant qu'il ne sorte de la voiture en courant.

Amélie était belle à couper le souffle. Elle portait un chemisier en satin gris orné d'immenses points noirs et un jean noir.

— Tu es magnifique, la complimenta Kevin après qu'ils se furent embrassés.

— Toi aussi.

Kevin lui présenta son cadeau. Le pendentif parut la ravir et elle passa aussitôt la chaîne autour de son cou. Mais elle était un peu trop longue et le médaillon disparut dans son chemisier.

— C'est comme ça que ça se porte, idiot, lui dit-elle. C'est normal que la chaîne soit si longue, le pendentif contient un secret.

Amélie lui fit promettre de lui apporter une photo de lui assez petite pour qu'elle l'insère dans le pendentif dès le lendemain.

— J'aimerais prendre une photo de nous deux maintenant, lui dit-il.

Il sortit la caméra de sa mère de sa poche de manteau et ils réussirent à comprendre comment fonctionnait le dispositif de prise de vue automatique. Ils déposèrent la caméra sur une petite table près de l'escalier et allèrent se placer dans le corridor. L'appareil commença à gronder.

Amélie se tourna vers Kevin.

— Tu comprends que si je décide d'abuser de toi ce soir, ça frisera l'illégalité.

— Comme toute bonne chose, répondit-il en souriant.

— Je t'aime, même si ce soir tu *es* plus jeune que moi de trois ans.

— Je t'aime aussi, répondit-il, le cœur battant. Bonne fête.

Le flash de la caméra illumina furtivement le corridor au moment où leurs lèvres s'effleurèrent. Quelques instants plus tard, ils furent interrompus par un premier son de carillon. Amélie alla accueillir Chantal, Carole-Anne et Patrick.

— Arrivons-nous trop de bonne heure?

— Non, non, les rassura Amélie. Entrez, je vais aller mettre de la musique.

— Ne laisse pas Patrick la choisir, l'avertit Chantal.

Kevin prit leurs manteaux. Patrick l'accompagna. Kevin remarqua que ce dernier était mieux habillé que lors de son propre *party*: Pas de trous sur les genoux, pas de t-shirt délavé.

— Je suis vraiment navré pour ce qui est arrivé l'autre soir, dit Patrick. Sans rancune?

Il tendit la main à Kevin qui la serra.

— Sans rancune.

Martin arriva.

— Je ne reste pas longtemps, dit-il à Kevin. Je suis seulement venu faire acte de présence.

Kevin voulut présenter Martin à Amélie, mais elle était à l'étage avec Chantal et lui montrait le lecteur de disques compacts portatif qu'elle avait reçu de ses parents. Lorsqu'elle redescendit, les invités arrivaient à pleine porte. La plupart étaient des élèves de cinquième secondaire et Kevin ne les connaissait que de vue. Amélie faisait les présentations, et Kevin oubliait les noms. Martin se tenait tout près de Kevin.

— Ah! fit-il, visiblement soulagé. Il y a Pete qui arrive.

Kevin se retourna pour voir son ami qui le saluait de sa main libre. Son autre bras enlaçait une fille, celle-là même dont Kevin était si impatient de connaître l'identité. La copine de Pete était blonde, plutôt jolie, et portait une robe que Kevin reconnut sur-le-champ. Il reconnut aussi la fille. C'était Hélène Scott.

15

La fête, décida bientôt Amélie, était un échec. Malgré l'anarchie et la fin abrupte du *party* de Patrick, les gens en avaient parlé pendant des jours. Le sien serait oublié dès le lendemain. Presque tous les invités étaient arrivés (sauf Marc-André Tanguay à qui elle avait lancé l'invitation par répondeur interposé). Mais il n'y avait pas grande activité. Amélie avait pris soin de choisir la meilleure *dance music* qu'elle connaissait, mais seulement une poignée de gens avaient dansé pendant la dernière heure et demie.

Deux ou trois couples se faisaient des mamours. Carole-Anne et Patrick était du nombre, emportés par leur amour naissant. Chantal semblait s'ennuyer ferme. Kevin et ses amis s'amusaient ensemble. Qui donc avait osé amener Hélène Scott? Les amis d'Amélie lui assurèrent qu'ils s'amusaient. Mais elle était certaine que, dès qu'elle avait le dos tourné, ils parlaient du fait que l'ancienne petite amie de Kevin était de la fête. Mais Amélie n'y pouvait rien changer. Elle tenait à ce que ses amis considèrent Kevin comme leur égal. Pourtant, et étonnamment, Kevin se montrait très peu sympathique.

Amélie finissait une conversation ennuyeuse au sujet d'un concert de Michael Jackson qu'elle avait vu sur vidéo. Elle alla retrouver Kevin et ses amis. Quand elle arriva, celui qui était plutôt grassouillet (Martin), lui annonça qu'il s'en allait.

Amélie essaya de le retenir, mais elle comprit que rien ne le ferait changer d'idée. Bientôt, les autres commenceraient à partir, même s'il était à peine onze heures. La fête était terne, sans ambiance.

— Nous devons faire quelque chose pour animer tout ce beau monde, dit Amélie à Kevin et à Pete. Allons danser.

— Si *nous* commençons à danser, fit remarquer Hélène, je ne suis pas certaine que tes amis vont nous suivre.

— On s'en fiche! répliqua Kevin avant qu'Amélie n'ouvre la bouche. Allons-y, allons nous amuser un peu.

Kevin prit Hélène par la main et Amélie guida Pete jusqu'à la «piste de danse». Kevin augmenta le volume. La musique de Simply Red retentit des haut-parleurs. Le rythme de la chanson était lent et Pete ne se sentait pas à l'aise de danser avec Amélie. Il avait l'impression que tous les yeux étaient rivés sur lui. Et il avait probablement raison. Hélène ne s'était pas trompée. Personne ne vint les rejoindre, pas même Patrick et Carole-Anne. Patrick, avait confié Carole-Anne à Amélie un peu plus tôt, ne dansait que lorsqu'il pouvait aller s'écraser contre un mur. Amélie regarda Kevin. Il tenait Hélène tout contre lui et ne semblait pas se soucier des autres. Ils avaient l'air si bien ensemble. Amélie sentit la jalousie monter en elle. Aux yeux de ses amis, Amélie serait la plus étrange des personnes présentes dans cette maison. Après tout, c'était elle qui avait invité des enfants de quatorze ans à sa fête! Qu'essayait-elle de prouver et à qui essayait-elle de prouver quelque chose? Là était la question.

La musique empêcha sûrement Amélie d'entendre le carillon sonner. Ou peut-être que Martin, en sortant, avait laissé entrer les derniers invités. En tout cas, la première chose qu'Amélie sut, c'est qu'elle se retrouva devant un nouveau venu dont le visage lui était familier.

— Amélie! Bonne fête!

Marc-André Tanguay tenait un petit bouquet d'œillets.

— Elles sont pour toi. Merci de m'avoir invité.

Il l'embrassa sur la joue.

— Tu m'avais bien dit que je pouvais amener quelqu'un.

— Oui, bien sûr. Est-ce que Cynthia…

— Non, nous avons cassé. Mais je crois que tu connais mon ami…

Amélie regarda par-dessus l'épaule de Marc-André. Elle vit un beau jeune homme à la carrure athlétique, portant un blouson de cuir et tenant dans ses mains une carte de souhait. Il lui adressa un sourire timide. Elle fut d'abord trop ébahie pour lui sourire aussi. C'était Éric. Une fois remise de sa surprise, elle fut ravie de la présence d'Éric. Après tout, l'ex-petite amie de Kevin était ici. Voilà qui ferait taire les ragots. En plus, les deux cégépiens réussiraient à animer la fête. Éric sortit des cassettes d'une poche de son blouson.

— Je me suis souvenu de tes goûts musicaux. J'ai pensé apporter ces cassettes. Tremblement de terre garanti!

Amélie grimaça un peu mais le laissa changer de musique. La fête avait besoin d'un petit coup de pouce pour démarrer. Lorsqu'il se dirigea vers la chaîne stéréo, Éric fit un signe de tête à Kevin et à Hélène. Amélie observa Kevin saluer Éric à son tour. Elle se rendit compte, à son grand désarroi, qu'Éric prendrait pour acquis que Kevin était venu à la fête avec Hélène. Après tout, il les avait vus ensemble au cinéma. Amélie devrait mettre les points sur les *i* le plus tôt possible. Mais comment s'y prendrait-elle sans qu'elle ait l'air de trop insister?

Les premières mesures de «Smells Like Teen Spirit» tonnèrent des haut-parleurs. Tout à coup, tout le monde se mit à danser. Amélie fut séparée de Kevin. Elle se retrouva à l'autre bout de la piste de danse en compagnie de Marc-André. Carole-Anne et Patrick commencèrent à se jeter un peu partout. Pendant un moment, Amélie fut inquiète pour les meubles. Puis elle se souvint qu'elle n'avait pas encore cinquante ans et que c'était son anniversaire. Elle devait arrêter de s'inquiéter et commencer à s'amuser.

À partir de ce moment, la fête battit son plein. Le temps fila à la vitesse de l'éclair. La soirée devint tapageuse, mais resta civilisée. Amélie était contente de son choix d'invités. Personne n'essaya de se faufiler dans les chambres à l'étage, aucune goutte de bière ne tomba sur les tapis, personne n'alla vomir dans les toilettes ou fumer des substances illégales. Et pourtant, tout le monde s'amusait, exception faite peut-être de Kevin. Amélie dansa avec lui à quelques reprises mais, en tant qu'hôtesse, elle dut également danser avec d'autres partenaires. Elle dansa surtout avec Marc-André Tanguay parce qu'il le lui demanda souvent et parce qu'il dansait bien. Elle dansa aussi avec Éric. Il avait rusé d'imagination pour qu'elle danse un *slow* avec lui.

— Je n'aurais jamais dû te laisser partir, lui dit-il.

— Si je me souviens bien, c'est plutôt le contraire qui s'est produit.

— Ouais, mais je n'aurais pas dû être si orgueilleux. Si je t'avais rappelée pour te dire comment je me sentais vraiment, j'aurais peut-être réussi à te faire changer d'idée… non?

Amélie plongea son regard dans les grands yeux bruns d'Éric. Il paraissait sincère.

— Je ne sais pas, dit-elle. Peut-être.

— Mais c'est trop tard maintenant, hein?

Elle le regarda à nouveau. Éric se rapprocha du visage d'Amélie et, avant qu'elle ne se rende compte de ce qui se passait, il l'embrassa tout doucement. C'était la première fois qu'il l'embrassait avec tant de tendresse et pendant un moment, elle en fut chavirée. Comment pouvait-elle être amoureuse de Kevin alors qu'Éric l'attirait toujours?

— J'ai bien peur qu'il ne soit trop tard, en effet, murmura-t-elle sur un ton de voix amical.

— J'ai eu ma chance et je ne l'ai pas prise, répondit Éric en secouant la tête.

Kevin était maintenant à côté d'eux. Amélie vit qu'il était furieux. Elle regarda autour d'elle. Chantal, voyant la panique dans les yeux de son amie, avança vers le trio. Amélie ne savait trop que faire. Elle ne tenait pas à s'expliquer devant eux. Elle décida de faire comme si Éric ne l'avait pas embrassée et comme si Kevin n'avait rien vu.

— Où sont Hélène et Pete?

— Ils sont rentrés.

— Oh.

Éric avait l'air confus.

— Ta blonde est partie avec un autre gars? On dirait bien que tu n'es pas chanceux.

Le visage de Kevin devint écarlate.

— Elle n'est pas…

Une nouvelle chanson commença.

— Kevin sort avec moi maintenant, l'interrompit Amélie en parlant assez fort pour se faire entendre malgré la musique.

Éric parut encore plus confus. Mais avant qu'il puisse ajouter quoi que ce soit, Chantal arriva. Elle chuchota quelque chose à l'oreille de Kevin qui s'éloigna.

— Te souviens-tu de Chantal? cria Amélie à Éric. Je crois que vous vous êtes déjà rencontrés…

Éric sourit, Chantal aussi. Elle est jolie, pensa Amélie. Avec ses cheveux tombant sur ses épaules et sa robe décolletée, elle ressemble à Kathleen Turner à s'y méprendre, en plus jeune, évidemment.

— Veux-tu danser? lui demanda Éric.

— Avec plaisir.

Amélie alla rejoindre Kevin dans le corridor.

— C'était seulement un baiser, lui lança-t-elle. Un baiser amical. Il n'y a rien là!

— Est-ce que j'ai dit quelque chose? lança Kevin à son tour.

— Non. Mais ton visage, oui.

— J'étais surpris de voir ton ancien *chum* ici, c'est tout.

— Pas plus que moi de voir ton ancienne blonde! répliqua-t-elle en haussant le ton.

— C'est différent. Elle était avec quelqu'un.

— Eh bien, je ne savais pas que…

— Les enfants, les enfants…

Ils se retournèrent en même temps. Carole-Anne leur souriait d'un air condescendant.

— Je comprends que vous ayez votre première dispute, mais vous ne pensez pas que vous seriez mieux de vous chicaner en privé?

Amélie fit un signe de tête affirmatif. Kevin parut embarrassé.

— Allez, dit Carole-Anne. Tout le monde s'a- muse. Viens danser avec moi, d'accord, Kevin?

— Eh bien, moi, je ne m'amuse pas! répondit-il d'un ton sec.

Sur ce, il se dirigea vers la garde-robe du vestibule, prit son manteau et se précipita dehors sous la pluie. Amélie regarda la porte, ahurie.

— Va le rejoindre! lui dit Carole-Anne.

Amélie secoua la tête.

— C'est la première fois que nous nous disputons depuis qu'il a dix ans et je sais que lorsqu'il est comme ça, il n'y a rien à faire avec lui. Il a besoin d'un peu de temps pour se calmer.

— Tu crois qu'il va revenir? demanda Carole-Anne, d'un air de doute.

— Oui.

Mais elle connaissait Kevin et elle savait qu'elle ne le reverrait pas de la soirée. Et, bizarrement, elle se sentit soulagée.

Deux heures plus tard, la plupart des invités étaient partis. La fête était finie. Les parents d'Amélie étaient rentrés, avaient inspecté la maison, et étaient allés se coucher. Ils n'avaient fait aucun commentaire au sujet de l'absence de Kevin. Ils n'avaient probablement pas remarqué que ce dernier manquait à l'appel. Amélie raccompagna Carole-Anne et Patrick jusqu'à la porte, un taxi les attendait. Il ne resta plus que Marc-André, Chantal et Éric. Marc-André se tenait dans le corridor, visiblement mal à l'aise.

— Je suis prêt à partir, dit-il. Mais je ne suis pas certain que…

Il pointa du doigt vers le salon où Éric et Chantal étaient étendus sur le canapé, enlacés.

— Ce serait dommage de les interrompre, dit Amélie, mais… as-tu besoin que j'appelle un taxi?

Marc-André fit non de la tête.

— J'ai la voiture de ma mère, dit-il, ça va aller. Je n'ai pas beaucoup bu.

— J'avais remarqué, dit Amélie. C'est très

raisonnable de ta part.

Elle lui sourit. Marc-André avait l'air nerveux, ce qui ne lui ressemblait pas.

— Écoute, dit-il. Je ne sais pas trop comment m'y prendre…

— Comment t'y prendre pour quoi? répliqua Amélie d'une voix mielleuse.

— Pour draguer les filles.

— Oh.

Une moitié d'elle-même était ravie et l'autre moitié était désolée d'avoir à le repousser. Marc-André était vraiment charmant.

— Éric m'a tout raconté au sujet de Kevin, poursuivit-il. Il m'a dit que vous étiez amis depuis toujours et que vous sortiez ensemble depuis que vous deux, c'est terminé.

— C'est exact, dit Amélie.

Elle était contente de ne pas avoir à donner des explications.

— Mais ce n'est pas sérieux avec lui, n'est-ce pas? J'ai remarqué qu'il était parti de bonne heure.

— Son couvre-feu était dépassé, dit Amélie pour blaguer.

Elle regretta immédiatement son insensibilité. Mais en même temps, elle ressentit un vague malaise d'avoir à se justifier auprès de Marc-André.

— C'est difficile à expliquer, commença-t-elle. Il y a tellement longtemps que nous nous connaissons…

Marc-André approuva d'un signe de tête.

— Tout ce que je veux savoir, c'est: si je te téléphonais dans… disons… une semaine ou deux et que je t'invitais à sortir… est-ce qu'il y aurait une chance que tu acceptes?

Amélie hésita.

— Je ne sais pas, dit-elle lentement. Si je ne sortais pas avec Kevin, je suppose que oui. Mais…

Marc-André lui sourit à pleines dents.

— Je suis content que ce soit réglé. Est-ce que tu crois que je pourrais te donner un baiser d'anniversaire?

Amélie savait que la situation devenait de plus en plus dangereuse. Elle pouvait sentir la proximité du corps de Marc-André. Il était beau et chaleureux. C'était sa fête, elle était un peu ivre et on ne lui avait pas encore donné un baiser digne de ce nom depuis le début de la soirée.

— Oui, murmura-t-elle. Tu pourrais.

Cinq minutes plus tard, Éric et Chantal arrivaient dans le corridor.

— Désolée de vous interrompre, dit Chantal, mais nous sommes prêts à partir si tu l'es aussi Marc-André.

C'est à contrecœur que Marc-André relâcha son étreinte. Il prit ses clés dans sa poche de manteau et sourit à Amélie d'un air heureux.

— Je t'appellerai, dit-il.

Chantal lança un regard curieux à Amélie, puis elle passa un bras autour de la taille d'Éric.

— Super *party*, dit-elle.

— Merci.

Ils partirent. Amélie grimpa l'escalier qui menait à sa chambre. Elle enleva ses chaussures d'un mouvement brusque des pieds et alla se regarder dans le miroir. Elle ne paraissait pas plus vieille que la veille, mais elle avait l'impression d'avoir pris une dizaine d'années. Sans se déshabiller, elle s'étendit sur son lit et éteignit la lampe de chevet. Puis elle commença à pleurer. Comment avait-elle pu trahir Kevin de la sorte? Il était le plus grand amour de sa vie. Elle en était certaine, non? Et s'il découvrait le pot aux roses? Il la quitterait sur-le-champ. Cette idée était insoutenable. Elle l'aimait. Elle le lui avait avoué ce soir. Et pourtant Kevin s'était comporté comme un enfant. Il n'était pas prêt à fréquenter quelqu'un comme Amélie. Après ce qu'il avait fait ce soir, c'était parfaitement clair. Et elle avait toujours eu un petit faible pour Marc-André Tanguay. De tous les amis d'Éric, il était de loin le plus sympathique. Marc-André était mature, gentil et très beau. Elle ne l'avait pas invité pour elle, mais pour Chantal. Et maintenant que Marc-André lui avait fait part de son désir pour elle, Amélie ne pouvait s'empêcher d'être tentée.

Pourquoi la vie était-elle si compliquée? Tout pouvait paraître si simple pendant un moment, puis le monde entier s'écroulait. Amélie aurait souhaité que Kevin soit à ses côtés à cet instant, pour la tenir dans ses bras, pour lui faire l'amour, pour que les choses rentrent dans l'ordre. Mais il n'était pas là et Amélie était déboussolée. Fatiguée et frustrée, elle s'endormit en pleurant.

16

Kevin s'était comporté comme un imbécile et il le savait. Il devait se faire pardonner le plus tôt possible. Ce matin-là, il fit sa ronde de journaux en un rien de temps. Il avait l'intention de retourner au lit dès qu'il aurait terminé, comme il avait l'habitude de le faire le dimanche. Mais quand il se recoucha, il se rendit compte qu'il était trop agité pour dormir. Il avait besoin d'aller voir Amélie pour s'excuser. Mais il était inutile d'y aller avant midi. Il descendit à la cuisine et fouilla dans l'armoire où sa mère gardait les albums de photos. Les plus récentes avaient été prises lors de leurs dernières vacances aux Îles-de-la-Madeleine, l'été précédent. Kevin prit les albums et alla les regarder dans l'intimité de sa chambre. Il devait en trouver une qui aurait le bon format et sur laquelle il paraîtrait à son avantage. Il trouva finalement celle qu'il cherchait. Il était sur une plage et on voyait la mer en arrière-plan. Il ne souriait qu'à demi, mais son teint était bronzé et ses yeux avaient cette expression que les gens trouvait attirante chez lui. Cette photo ferait l'affaire, décida-t-il. À la condition bien sûr qu'Amélie souhaite toujours la porter sur son cœur.

Sa réaction avait été exagérée. Il était normal qu'un ex-petit ami embrasse Amélie le jour de son anniversaire. Il aurait peut-être fait la même chose avec Hélène dans de pareilles circonstances. Mais c'était surtout l'expression de son visage qui l'avait mis dans tous ses états. Et les heures qu'il avait passées à s'ennuyer à cette fête. Il avait dû faire semblant de s'amuser alors que tous les amis d'Amélie l'ignoraient.

Après être parti de chez Amélie, il avait marché pendant des heures. Il avait d'abord essayé de se calmer. Il avait ensuite tenté de rassembler tout son courage pour retourner chez elle. Il était passé devant la maison à deux reprises. La première fois, il n'avait pas réussi à se convaincre d'entrer. La seconde fois, la voiture des parents d'Amélie étant garée dans l'entrée, il avait conclu que la fête était terminée. Il s'était donc résigné à rentrer chez lui pour aller se coucher. Mais il avait eu du mal à s'endormir.

Il était maintenant onze heures et demi et Kevin ne tenait plus en place. Il décida d'aller chez Amélie.

— Elle est encore couchée, lui dit Mme Fontaine. Je ne t'apprends rien en te disant qu'elle s'est couchée très tard, n'est-ce pas?

Kevin acquiesça de la tête. Il était évident que Mme Fontaine ignorait qu'il était parti très tôt. Il était également évident qu'elle ne le laisserait pas monter dans la chambre d'Amélie.

— Je vais lui dire que tu es passé. Je suppose qu'elle ira te voir chez toi.

— D'accord.

Kevin s'en alla. Il avait convenu avec Pete qu'il passerait le voir dans l'après-midi, mais il resta chez lui. Il n'avait pas envie de parler d'Amélie ou d'Hélène. «Je suppose qu'elle ira te voir chez toi», lui avait dit Mme Fontaine. Cela n'avait rien d'une promesse, mais c'était mieux que rien. Il ne pouvait tout de même pas aller rôder autour de chez Amélie.

Le mieux qu'il avait donc à faire était de rester chez lui et d'attendre.

— Tu ne regardes pas le football cet après-midi? lui demanda sa mère.

— J'ai trop de devoirs à faire.

En fait, Kevin avait fait tous ses devoirs le vendredi précédent afin d'avoir la fin de semaine de congé. Mais il monta tout de même dans sa chambre, évitant ainsi que sa mère le questionne en long et en large au sujet de sa soirée chez Amélie. Il aurait dû aller chez Pete. Amélie devait penser qu'il était sorti, puisqu'il sortait tous les dimanches. Peut-être était-elle sortie elle aussi. Mais avec qui?

En s'en allant de façon si cavalière, Kevin avait peut-être lancé Amélie dans les bras d'Éric Lachapelle. Que ferait-il si elle s'était réacoquinée avec Éric pour rendre la monnaie de sa pièce à Kevin? Et si elle était avec lui en ce moment même et qu'ils parcouraient les routes sur sa moto, par ce bel après-midi d'octobre? L'attente devenait trop longue. Il décrocha le téléphone.

— Désolée, Kevin, mais elle est sortie, lui dit Mme Fontaine.

— Savez-vous où je pourrais la trouver? demanda Kevin d'un ton de voix qu'il espéra naturel.

— Elle est allée voir son amie Chantal. Je vais lui dire que tu as téléphoné.

Kevin raccrocha. Maigre consolation, Amélie était avec Chantal et non pas avec Éric. Il s'étendit sur son lit. Elle lui téléphonerait en rentrant. Il était très fatigué. Une petite sieste lui ferait le plus grand bien. Tout irait bien. Elle lui passerait un coup de fil en rentrant. Elle téléphonerait. Mais Kevin perdait son temps. Le sommeil refusait de lui faire honneur. Il s'approcha du bord du lit et se mit à attendre que le téléphone sonne. Quand, deux heures plus tard, la sonnerie du téléphone retentit, Kevin se rendit compte qu'il avait sommeillé. Il se rua sur le téléphone.

— Allô?

— Kevin? Comment vas-tu?

— Ah, c'est toi, grand-maman, dit-il en soupirant. Je vais bien, merci.

Il conversa poliment avec sa grand-mère qui téléphonait chaque dimanche. Ils se parlèrent pendant cinq minutes qui parurent en durer soixante. Kevin ne cessa de penser qu'il manquerait l'appel d'Amélie. Mais, comme il l'apprit plus tard, il s'était inquiété pour rien.

— Je n'arrive pas à croire que tu l'aies laissé tomber. Il est tellement beau.

Amélie haussa les épaules. Chantal était délirante de joie en parlant d'Éric.

— Il a ses défauts, lui dit Amélie. Je suis certaine que tu les découvriras sous peu.

— Personne n'est parfait, répliqua Chantal. En parlant d'imperfection, as-tu eu des nouvelles de Kevin aujourd'hui?

Amélie fit non de la tête.

— Il voit toujours ses amis le dimanche après-midi.

— Les enfants qui étaient au *party*?

— Ceux-là, oui.

Chantal regarda Amélie aussi longuement que sévèrement.

— Et qu'est-ce que tu vas lui dire quand tu le verras?

— Qu'est-ce que tu veux dire?

Amélie avait les yeux rivés sur le plancher. Chantal avait caché sa collection d'oursons en peluche sous son lit.

— Tu sais ce que je veux dire, insista Chantal sur

un ton moralisateur. Vas-tu enfin le quitter?

— Non! répliqua fermement Amélie. Pourquoi le quitterais-je? Parce que nous avons eu une petite dispute?

— Ce n'est pas à ça que je pensais.

— À quoi pensais-tu alors?

Chantal soupira.

— Marc-André ne pouvait s'empêcher de parler de toi lorsqu'il nous a conduits chez nous, Éric et moi, hier soir. Il voulait tout savoir à ton sujet: ce que tu aimes, ce que tu n'aimes pas, qui sont tes amis, quel est ton plat favori. Tout, je te dis!

Amélie était partagée entre le ravissement et l'embarras que lui causaient ces propos flatteurs.

— Et la présence d'Éric ne l'a pas empêché de poser toutes ces questions?

— Éric a trouvé toute cette histoire plutôt amusante. Il a déclaré à Marc-André que vous devriez sortir ensemble étant donné que vous avez tellement de points en commun tous les deux.

— Et tu penses la même chose?

Chantal sourit.

— Ce serait agréable si nous pouvions sortir ensemble tous les quatre, non? Marc-André est vraiment gentil. Toi-même, tu as dis la même chose quand tu voulais que nous sortions ensemble.

Amélie secoua la tête.

— J'espère que tu leur as dit que j'ai déjà un *chum*.

Chantal parut surprise.

— Comment aurais-je osé, ne sachant pas ce que tu avais raconté à Marc-André? Souviens-toi, je venais juste de vous voir en train de vous embrasser pendant une demi-heure!

— Oh, pour l'amour du ciel! protesta Amélie. Ce n'était qu'un baiser d'au revoir... bégaya-t-elle ...un baiser d'anniversaire, je veux dire. Je lui ai dit que je sortais avec Kevin.

Amélie essaya de se remémorer ce qu'elle avait dit exactement à Marc-André.

— D'après Marc-André, tu lui aurais dit que Kevin et toi, c'était pratiquement de l'histoire ancienne. Tu lui as dit que s'il avait la patience de t'attendre pendant deux semaines, tu sortirais avec lui!

Amélie fixa le plancher de nouveau. Elle savait que jamais elle n'aurait osé trahir Kevin à ce point, mais elle savait aussi que bien souvent les gens entendaient ce qu'ils souhaitaient entendre.

— Il a dû mal me comprendre, dit-elle au bout d'un moment.

Chantal était déçue.

— Est-ce que c'est ce que tu veux que je lui dise? demanda-t-elle. Qu'il n'y a aucune chance que tu sortes avec lui?

Amélie se leva avec l'intention de s'en aller.

— Ne lui dis rien. C'est entre lui et moi que ça se passe. Compris?

Chantal paraissait froissée.

— Compris, répondit-elle sur un ton qui en disait long.

En marchant vers l'arrêt d'autobus, Amélie se rappela la conversation qu'elles avaient eue lorsqu'elles étaient allées au Body Shop, deux semaines plus tôt. Chantal avait dit qu'il était peu probable qu'elles aient un jour un *chum* en même temps. Que lui réservait le destin? Allait-elle perdre Kevin? Elle descendit de l'autobus et plutôt que de s'en aller vers la droite, elle marcha vers la gauche. Il était presque six heures. Elle serait en retard pour le souper, mais elle s'en fichait. Elle appuya sur la sonnette.

— Il est dans sa chambre, lui dit Mme Paquette.

Va le retrouver.

Elle frappa à la porte de sa chambre.

— Je te l'ai déjà dit, grommela Kevin, je n'ai pas faim!

Amélie entra. Kevin, vêtu d'un vieux jean et d'un t-shirt défraîchi, était assis sur le bord du lit. Des livres de bandes dessinées jonchaient le sol et le lit. La radio jouait.

— Oh, fit-il, c'est toi!

Amélie resta dans l'embrasure de la porte, ne sachant trop quelle attitude adopter.

— Oui, c'est moi.

Kevin commença à ramasser les livres sur son lit, mais elle alla s'asseoir à son pupitre.

— C'est à propos d'hier soir… commença-t-elle.

Kevin se mit à rougir.

— Je n'aurais pas dû m'en aller comme ça, dit-il. Je suis désolé.

— Je suis désolée aussi. J'aurais aimé que tu sois là avec moi.

— Je sais.

Amélie resta silencieuse.

— Je comprends maintenant que tu ne t'amusais pas beaucoup, dit-elle au bout d'un moment. Ça prendra peut-être un peu plus de temps que nous avions prévu.

Kevin fit oui de la tête.

— Nous sommes encore à l'essai, n'est-ce pas? demanda-t-il d'une voix cynique.

— En autant que tout le monde est concerné, oui.

Kevin paraissait insulté.

— Je me fiche de ce que pensent les autres. Tu es la seule qui m'intéresse.

Amélie garda le silence. Kevin se leva et avança vers le pupitre. Il va m'embrasser, pensa-t-elle, mais je n'en ai aucune envie. Cependant, il se contenta d'ouvrir un tiroir.

— Tiens, c'est pour toi.

C'était une photo de Kevin prise sur une plage. Il était bronzé et souriait à moitié. Son corps avait une incroyable apparence juvénile, comme s'il avait été âgé d'une douzaine d'années à peine.

— Merci, dit-elle.

— J'ai des ciseaux, si tu veux découper mon visage.

— Ça va, je le ferai à la maison.

Un autre long silence s'installa.

— Qu'est-ce qui s'est passé après que je sois parti? demanda Kevin.

— La même chose qu'avant que tu partes. Beaucoup de danse, un peu de consommation d'alcool, mamours dans les coins sombres, un *party* ordinaire. Et puis, Chantal s'est trouvé un *chum*.

Kevin fit un vague signe de tête, la vie amoureuse de Chantal ne l'intéressant visiblement pas.

— Veux-tu savoir de qui il s'agit?

— Pourquoi? Est-ce que je le connais?

Amélie fit oui de la tête.

— Elle sort avec Éric.

Le soulagement qui se lit alors sur le visage de Kevin faisait peine à voir.

— Je croyais que c'était toi qui l'intéressais, dit-il sur un ton plus doux.

— Avant peut-être, répliqua Amélie, patiente. Mais je lui ai dit d'aller se faire voir.

Kevin sourit.

— Viens t'asseoir ici, la pria-t-il.

Amélie alla s'asseoir sur le lit avec lui. Ils s'embrassèrent. Puis ils s'embrassèrent encore et encore avec beaucoup de passion. Amélie sentit qu'elle se détendait. L'amour que Kevin lui portait était si réel, si doux. Comment avait-elle pu douter de lui?

Pourtant, elle était troublée — elle se sentait tout aussi étrangère que présente dans cette relation. Elle connaissait la raison de cette double sensation. Elle se sentait coupable des sentiments qui l'habitaient. En apprenant la nouvelle à Kevin au sujet d'Éric, elle avait été honnête. Mais seulement jusqu'à un certain point. Elle se rappela le baiser de Marc-André et la sensation qu'il lui avait procuré. Elle n'éprouvait qu'une attirance physique pour Marc-André. C'était de Kevin dont elle était réellement amoureuse: son adorable et fiable Kevin qui ne l'avait jamais laissée tomber. Mais une partie d'elle-même insistait pour lui faire comprendre que cette relation n'avait rien de solide, comme s'il s'était agi en fait pour eux de pousser plus loin leurs jeux d'enfants. C'est encore un enfant, se dit-elle. Et moi, je suis maintenant une femme.

— Qu'est-ce que tu as? lui demanda Kevin en relâchant son étreinte.

— Je m'excuse, je…

Amélie ne pouvait lui avouer la vérité. Elle était encore trop bouleversée pour prendre le risque de le perdre.

— Je suis en retard pour le souper. Mes parents ne seront pas très contents si je ne me pointe pas à la maison très bientôt.

— Oh! O.K.

Il la raccompagna jusqu'à la porte. Il paraissait heureux que les choses soient finalement rentrées dans l'ordre. Il offrit à Amélie de marcher avec elle jusque chez elle. Elle refusa. Elle avait besoin d'être seule.

Quand elle arriva chez elle, ses parents étaient déjà à table. Amélie suspendit son manteau dans la garde-robe du vestibule et alla sortir son assiette du four. La photo que Kevin lui avait donnée resta dans le fond de sa poche de manteau.

17

Certains lundis sont plus moches que d'autres. Kevin ne parla presque pas de la journée. Les cours furent d'un ennui mortel. Dès qu'il entendait une fille rire ou chuchoter près de lui, il prenait pour acquis qu'elle parlait de lui. Après tout, il était inévitable que sa conduite du samedi devienne le sujet du jour. Mais personne ne lui adressa directement la parole. Pas même les professeurs. On aurait dit qu'ils sentaient dans quel état d'esprit il se trouvait.

Kevin fut l'un des premiers à sortir de l'école quand les cours furent terminés. Il alla s'asseoir à sa place préférée dans l'autobus, soit la première rangée. Il avait entr'aperçu Amélie pendant la journée et il tenait à avoir une bonne conversation avec elle. Dès qu'ils seraient seuls, il lui dirait qu'il ne voulait plus que leur relation porte l'étiquette «à l'essai». Ou bien elle sortait avec lui, ou bien elle ne sortait pas avec lui.

L'autobus commença à se remplir. Suzie Turgeon lui tapota l'épaule.

— Bébé Kevin est tout seul? Bébé Kevin s'ennuie?

Kevin jura.

— Oh! pauvre petit!

Kevin regarda obstinément devant lui. Il entendit

la voix lente et profonde de Charles Gilbert.

— Qu'est-ce qu'il y a, Suzie?

— Tu aurais dû entendre ce qu'il m'a répondu quand je lui ai offert de m'asseoir avec lui.

Charles éclata de rire. Son rire artificiel était gras. Il prit place à côté de Kevin.

— Va te faire voir, Charles.

— Tu n'as pas été très gentil avec Suzie, et c'est mon amie.

— Elle n'a pas été plus aimable avec moi. Allez, Charles, fais de l'air. J'attends Amélie.

— J'ai entendu dire qu'Amélie ne viendrait pas aujourd'hui, dit Charles sur le même ton que s'il avait raconté une blague.

— Qu'est-ce que tu veux dire?

— J'ai entendu dire qu'elle t'avait mis dehors samedi soir pour pouvoir finir la soirée avec quelqu'un d'autre.

Cette fois, Charles éclata d'un rire franc. Kevin se leva. Il s'efforçait de garder son sang-froid.

— Tu dis n'importe quoi, Charles, et tu le sais. Si tu ne t'enlèves pas de là, moi je vais t'enlever.

Charles attrapa Kevin par une manche.

— Assieds-toi, je n'ai pas fini avec toi.

— Lâche ma manche.

Mais Charles resta pendu à la manche de Kevin. Ce dernier était dans tous ses états. Il savait qu'il allait le regretter, mais il ne pouvait pas se retenir. Quand Charles éclata de rire de nouveau, Kevin lui asséna un coup de poing.

Un pied sur une marche et l'autre sur le trottoir, Amélie voulut rebrousser chemin dès qu'elle entendit les occupants de l'autobus réclamer «du sang!». Mais comme d'autres passagers se pressaient contre elle et lui barraient le chemin, elle dut gravir les deux autres marches. Elle eut du mal à croire ce qu'elle vit Kevin était étendu de tout son long sur le plancher et Charles le malmenait. Au début, elle ne put que se contenter de regarder la scène avec horreur. Kevin réussissait parfois à échapper à Charles et à lui asséner un coup de poing à la poitrine, mais il aurait aussi bien pu frapper un mur.

— Laisse-le tranquille! cria Amélie. Charles, arrête-toi tout de suite!

Mais Charles l'ignora. Une bande de filles de quatrième riait et blaguait derrière Amélie. Puis elle entendit la voix de M. Bertrand, le surveillant.

— C'est assez, maintenant!

Lentement, Charles relâcha Kevin, un sourire moqueur sur le visage.

— Qui a commencé? demanda M. Bertrand.

— Lui! répliqua Charles.

Kevin ne dit rien. Son visage était meurtri et ensanglanté. Ses deux yeux étaient enflés.

— Descendez tous les deux de l'autobus. Nous allons voir le directeur.

Alors qu'il descendait l'escalier, Charles lança un regard triomphal à Amélie, puis il releva les deux bras pour imiter le geste du vainqueur. Il y eut des applaudissements. Amélie voulait descendre, elle aussi, de l'autobus. La foule applaudit. M. Bertrand aida Kevin à se relever.

— Tu es un imbécile, Kevin, lui dit le surveillant. On ne se bat pas contre une brute comme lui.

Kevin ne trouva pas la force de répondre. Amélie se trouvait à côté de Kevin.

— Je vais l'accompagner. Il a besoin qu'on s'occupe de lui.

M. Bertrand secoua la tête de gauche à droite.

— Nous allons nous occuper de lui, Amélie. Rentre chez toi.

Amélie voulut protester, mais M. Bertrand aidait

déjà Kevin à descendre les marches. Une minute plus tard, elle regretta de n'avoir pas désobéi à l'ordre de M. Bertrand. Dès que l'autobus démarra, les railleries commencèrent et ne se terminèrent que lorsqu'elle sortit de l'autobus.

— Amélie aime les bébés, Amélie aime les bébés... avaient faiblement commencé quelques voix.

— Amélie aime les bébés, Amélie aime les bébés... s'étaient amplifiées les voix.

— AMÉLIE AIME LES BÉBÉS, AMÉLIE AIME LES BÉBÉS! grondèrent-elles finalement.

Elles se turent au bout d'un moment. Amélie, qui jusque-là avait réussi à retenir ses larmes pour éviter d'être humiliée davantage, soupira de soulagement. Mais c'est à ce moment que les voix reprirent à l'unisson.

— Amélie aime les bébés, A-m-é-l-i-e-a-i-m-e-l-e-s-b-é-b-é-s...

Ce manège se poursuivit jusque chez elle. Les laps de temps entre chaque refrain devinrent plus longs, mais le chant lui-même s'amplifia, devenant toujours de plus en plus cruel. Même quand Amélie s'approcha de l'escalier bien avant son arrêt, les plus jeunes reprirent le slogan et le scandèrent avec plus de véhémence. Amélie utilisa chaque gramme de la volonté qu'elle possédait pour contenir ses larmes. Dès qu'elle quitta sa prison, elle courut jusque chez elle et alla s'affaler sur son lit en attendant que Kevin lui téléphone. Une heure s'écoula sans qu'elle ait de ses nouvelles. Une autre heure passa. N'y te-nant plus, elle se rendit chez lui. M. Paquette lui ouvrit la porte.

— Il vient de sortir du bain, mais je crois qu'il est décent. Monte lui parler, chérie. Je sais qu'il veut te voir.

— Merci.

Kevin avait enfilé une robe de chambre en ratine. Ses yeux étaient encore gonflés.

— Est-ce que tu les as entendus? lui demanda Amélie.

— Chaque mot.

— Comment as-tu pu être assez stupide pour...

Amélie éclata en sanglots. Kevin prit sa main dans la sienne.

— Je suppose que je suis né comme ça.

Il lui tendit un mouchoir.

— Je n'ai que quatorze ans.

Amélie lui sourit tristement.

— Tu vieilliras un jour.

Il essaya de lui rendre son sourire, mais il était trop désespéré.

— Est-ce que tu m'attendras?

Amélie ne répondit pas. Kevin la regarda pendant une éternité. Puis il dit:

— Tu vas casser, hein?

Amélie voulut lui expliquer. Puis elle le regarda dans les yeux. Elle y lut plus de maturité et de sagesse que les siens n'en contiendraient jamais. C'était Kevin qu'elle avait devant lui, se rappela-t-elle. Elle n'avait pas besoin d'expliquer quoi que ce soit.

— Je crois que ce serait mieux, non?

Kevin se leva et alla regarder par la fenêtre.

— Tu te souviens de ce film avec Tom Hanks, *Big*? lui demanda-t-il sans se retourner. Nous l'avons vu quand nous étions encore au primaire.

Amélie s'en rappelait vaguement.

— Raconte-moi.

— Tom Hanks joue le rôle d'un gars de douze ans qui se retrouve dans le corps d'un homme de trente ans. Puis, il y a une femme de trente ans qui tombe amoureuse de lui.

— Je m'en souviens.

— Même s'il a l'apparence d'un homme mûr, il aime encore jouer à des jeux enfantins, tu sais, jouer avec des jouets, lire des bandes dessinées, jouer à des jeux vidéo... C'est d'ailleurs un des traits de caractère que sa copine apprécie le plus chez lui.

Amélie acquiesça de la tête.

— Puis, à la fin du film, sa blonde découvre son âge réel et le raccompagne chez ses parents.

Amélie sourit. Kevin avait une telle mémoire!

— Et à quoi veux-tu en venir au juste?

Kevin se retourna et la regarda.

— À la toute fin, quand il sort de l'auto pour rentrer chez lui, il se met à rapetisser. Quand il descend de l'auto, il mesure environ 1m80, mais quand il arrive sur le seuil de la porte, il est minuscule. Ce n'est plus qu'un petit garçon de douze ans qui a enfilé des vêtements beaucoup trop grands pour lui...

Amélie ne dit rien. Kevin se mit à pleurer.

— Je suis comme Tom Hanks dans ce film, hein?

Il s'approcha d'Amélie et elle le tint dans ses bras, doucement. Ils pleuraient maintenant à chaudes larmes tous les deux. Amélie caressa ses beaux cheveux blonds.

— Je voulais tellement que ça marche, nous deux, dit-elle.

— Moi aussi.

— Est-ce que tu vas me haïr?

— Non! fit-il en essayant de prendre un air plus joyeux. Je savais ce qui allait m'arriver depuis le début de toute façon: c'est toujours toi qui casse la première.

Amélie lui donna un coup de poing amical.

— Aïe!

Elle ne lui avait pas fait mal et elle le savait. La vraie blessure de Kevin était intérieure et c'était elle, Amélie, qui en était la cause.

— Je crois qu'il serait peut-être mieux de ne pas se voir pendant un petit bout de temps, dit-elle.

— Rien de plus facile, répliqua-t-il. J'ai été suspendu pour deux jours et mes parents m'ont interdit de sortir. Ensuite, je pourrai m'asseoir dans le fond de l'autobus ou même me rendre à l'école à vélo si tu préfères.

Amélie se rapprocha pour l'embrasser. Mais Kevin s'écarta et les lèvres d'Amélie se posèrent sur sa joue. Sans dire un mot, elle ouvrit la porte et se précipita dans l'escalier, les joues inondées de larmes. Elle entendit la mère de Kevin l'appeler: «Amélie?» Mais Amélie l'ignora et courut jusque chez elle.

18

Son quinzième anniversaire fut l'une des pires journées de sa vie. Kevin n'avait pas le cœur à la fête, mais ses parents insistèrent pour qu'il aille s'amuser. Il choisit d'aller jouer aux quilles, activité à laquelle il ne s'était pas livré depuis des années. Il y alla avec Pete, Martin et Hélène. Ses trois amis, Hélène y comprise, l'avaient beaucoup soutenu émotivement depuis sa rupture avec Amélie. Hélène sortait avec Pete depuis plus longtemps que lui-même ne l'avait fréquentée.

— Commence-t-elle à prendre votre relation plus au sérieux? demanda Kevin à Pete pendant qu'Hélène était aux toilettes.

— Non, nous ne sommes que de bons amis en réalité, répondit Pete qui parut surpris par la question. Hélène prétend que c'est la façon la plus sûre pour que notre relation dure.

Kevin inclina la tête. Il était heureux pour Hélène qu'elle ait appris quelque chose de leur histoire.

La soirée se déroula mal. Kevin joua maladroitement, il envoyait sa boule dans le dalot presque coup sur coup. Martin était de loin le meilleur joueur, mais il n'excellait pas encore assez pour compenser les maladresses de son partenaire. Hélène et Pete l'emportèrent facilement. Il faisait affreusement froid lorsqu'ils sortirent pour aller prendre l'autobus. Kevin s'était empiffré de hamburgers et de Coca-Cola et il avait mal au cœur.

— Hé! fit tout à coup Hélène. Te souviens-tu de ce film de Tom Cruise que nous étions allés voir? C'était un des pires films de l'histoire du cinéma.

Kevin resta interdit. Hélène ne faisait jamais allusion au fait qu'ils avaient déjà formé un couple. Pourquoi parlait-elle maintenant de cette histoire, en plein milieu de la rue? Il la regarda, puis regarda Pete. Ils avaient l'air tout aussi compatissants qu'inquiets. Kevin regarda autour de lui. Et là, de l'autre côté de la rue, dans une file d'attente, il vit Amélie. Elle n'était pas seule. Kevin reconnaissait son compagnon. Il l'avait vu au *party* d'Amélie et à celui de Patrick Lapointe: il s'appelait Marc-André ou quelque chose comme ça. Il portait un long manteau très chic et, autour du cou, une longue écharpe. Il mesurait environ vingt centimètres de plus qu'Amélie et elle le regardait avec cet éclat dans les yeux que Kevin reconnaissait. C'était à le rendre malade.

— Viens-t'en, Kev, dit gentiment Pete.

Le couple s'embrassa. Amélie passa les bras autour du cou de Marc-André. Kevin se mit à trembler.

— Ouais, je m'en viens.

Dix jours après sa fête, Amélie avait trouvé une petite boîte de carton à son retour de l'école. Dans la boîte, il y avait une rose rouge et une carte.

«J'étais sérieux. X. Marc-André»

Sans même sortir la fleur de son emballage, Amélie avait jeté la boîte à la poubelle.

— Je lui ai dit d'attendre. Je ne suis pas encore

prête pour lui.

Mais elle avait compris en se lavant le visage une minute plus tard que ce ne serait qu'une question de temps avant que Marc-André Tanguay et elle ne fassent la paire.

Deux jours plus tard, il lui avait téléphoné. D'une voix posée, il l'avait invitée à sortir. Amélie n'avait pas hésité très longtemps.

— C'est impossible pour cette fin de semaine. Mais je n'ai rien de prévu pour le week-end prochain…

— Je suis d'une nature très patiente.

Mais elle avait fini par le voir cette fin de semaine-là, car Chantal l'avait appelée pour l'inviter à faire une balade en voiture avec Éric et elle… dans l'auto de Marc-André. Ils avaient mangé dans une petite auberge. Ce dimanche avait été autrement plus agréable que ceux qu'elle avait passés à attendre que Kevin revienne de chez amis.

— Il est fou de toi, lui avait confié Chantal pendant que les deux garçons étaient allés au bar. Tu devrais arrêter de le faire souffrir inutilement.

— Ça fait seulement une semaine que je ne vois plus Kevin!

— Mais tu as dit que cela n'avait rien à voir avec Marc-André.

— En effet, en tout cas, pas vraiment.

— Alors, pourquoi ne lui accorderais-tu pas une chance?

Amélie avait haussé les épaules.

— Je lui ai dit que je sortirais probablement avec lui la fin de semaine prochaine.

— Probablement?

— Définitivement.

Chantal avait souri. Elle avait vraiment envie de sortir en couple avec son amie, mais Amélie ne pensait pas la même chose. Non seulement Amélie ne se sentait-elle pas prête à sortir avec un autre garçon, mais, en plus, Chantal sortait avec son ex-petit ami. Pourquoi les choses s'entortillaient-elles à ce point?

Marc-André avait d'abord déposé Chantal chez elle, puis Éric. Amélie s'était donc retrouvée toute seule avec lui pour la première fois depuis le *party*. Il lui avait parlé de ses études et lui avait demandé comment se déroulait son année scolaire.

— Il ne te reste plus que sept mois, hein? Qu'est-ce que tu feras ensuite? Vas-tu aller au cégep?

Amélie avait dodeliné de la tête.

— J'avais pensé pouvoir m'inscrire au conservatoire d'art dramatique, mais je réalise à quel point je m'étais monté un bateau. Premièrement, je n'ai pas assez de talent pour être comédienne et deuxièmement, je n'ai sûrement pas la détermination nécessaire. Et, pour finir, je ne crois pas que mes notes seront assez bonnes.

— Arrête de te dénigrer.

— Je ne me dénigre pas, je suis réaliste, c'est tout. Je n'aime pas l'école. Je pourrais peut-être être secrétaire, mais j'aimerais mieux apprendre sur le tas plutôt que sur un banc d'école.

— Et sans qualifications, comment penses-tu te trouver un travail?

— On m'a déjà fait des offres.

Des amis de son père lui avaient déjà dit qu'ils serait prêts à lui offrir un emploi, si elle le désirait. Elle n'aurait qu'à le leur demander. Elle avait l'intention de les prendre au mot. La beauté ouvrait bien des portes. Cela était injuste, mais la vie était si souvent injuste de toute façon, alors aussi bien en profiter lorsqu'une occasion se présentait! Amélie se servirait de son apparence pour parvenir à ses fins, mais si quelqu'un tentait de la traiter incorrectement, elle se défendrait. Plus tard, si elle jugeait que des qualifications supplémentaires lui seraient utiles, elle aurait toujours le choix d'aller s'inscrire à des cours du soir ou, encore, de prendre un congé sabbatique.

Ils étaient arrivés chez Amélie. Marc-André avait immobilisé la voiture un peu après l'entrée.

— Je ne t'inviterai pas à entrer, car j'aurai droit à une centaine de questions si je le fais.

— C'est correct.

Il lui avait souri affectueusement. Il était si plein d'assurance que c'était contagieux. Pour la première fois depuis deux semaines, Amélie s'était sentie presque heureuse.

— Est-ce qu'on se voit toujours la fin de semaine prochaine? lui avait-il demandé.

— Oui, définitivement. Nous ferons ce que tu voudras.

Ce soir était donc leur premier rendez-vous officiel. Il l'amena voir un film allemand sous-titré en anglais.

Amélie s'ennuya ferme. Mais Marc-André semblait apprécier la projection. La petite salle baignait dans l'obscurité et était presque vide. Ils se tinrent d'abord les mains, puis se collèrent l'un contre l'autre et finirent par s'embrasser. Kevin n'avait jamais osé faire plus que de lui tenir la main quand ils étaient allés au cinéma. Quant à Éric, il lui avait souvent donné l'impression qu'il subissait le pire supplice du siècle. Marc-André semblait cependant à son aise dans une salle de cinéma. Après la représentation, il l'emmena à un nouveau bar, où ils durent faire la queue dehors pendant une vingtaine de minutes. Il faisait froid mais Marc-André l'enveloppa de sa chaleur. Arrivés en tête de file, ils n'eurent aucun problème pour entrer. Ils dansèrent jusqu'à une heure du matin, heure à laquelle elle devait rentrer.

Marc-André est tout simplement parfait, décida Amélie avant de s'endormir. Il était beau, grand et intelligent. D'accord, il irait sûrement étudier à Montréal l'année suivante et cela limiterait en quelque sorte leur relation. Mais l'université ne l'accueillerait que dans onze mois et d'ici là tout pouvait arriver. La preuve, c'était que beaucoup d'eau avait coulé sous les ponts depuis trois semaines: elle avait d'abord été la blonde d'un joli et charmant garçon de quatorze ans et puis elle avait commencé à fréquenter un garçon âgé de dix-huit ans, qui représentait exactement tout ce qu'elle avait recherché chez un garçon.

Mais Kevin n'avait plus quatorze ans. Elle se rappela tout à coup que c'était l'anniversaire de Kevin ce jour-là. Exactement trois semaines après le sien. Et elle ne lui avait même pas envoyé une carte. Comment avait-elle pu être si cruelle? C'était impardonnable. Un mois plus tôt, elle avait prévu lui faire cadeau d'une montre. Cela lui paraissait maintenant un geste extravagant. Mais Kevin avait dépensé toutes ses économies en lui achetant ce pendentif qui était maintenant rangé dans un de ses tiroirs.

Cette nuit-là, ne trouvant toujours pas le sommeil, Amélie se rappela qu'elle avait reçu en cadeau un bon d'achat qu'elle n'avait pas encore uti-lisé. C'était un cadeau bien impersonnel, mais c'était ce qui s'offrait de mieux étant donné les circonstances. Kevin pourrait l'utiliser pour se procurer un jeu vidéo.

Même s'il était près de trois heures du matin, Amélie se leva et décida de mettre la main sur ce bon d'achat. Son nom n'y figurait pas. Elle n'aurait donc qu'à acheter une carte de souhait le lendemain, puis elle porterait le tout à Kevin. Elle n'aurait qu'un jour de retard. Si tout se passait comme prévu, elle ne le rencon-trerait pas. Elle ne tenait pas à le voir, c'était trop tôt.

Lorsque Kevin eut fini sa livraison de journaux le lendemain matin, un message de Patrick Lapointe l'attendait. Il ne lui avait pas parlé depuis la fête d'Amélie. Ils n'étaient pas de grands amis, mais, somme toute, ils s'entendaient bien. Kevin se demanda ce que son aîné avait à lui demander. Il lui téléphona. Patrick alla droit au but.

— Tu es un bon joueur de hockey, hein?

— Si l'on veut.

Kevin était défenseur dans deux équipes différentes.

— C'est que… je suis le capitaine d'une équipe de la ligue mixte et la moitié de notre équipe a la grippe. Est-ce que tu crois que tu pourrais venir jouer avec nous?

— D'accord, répondit Kevin qui, de toute façon, n'avait rien d'autre à faire.

— La partie commence à midi. Sois au centre des loisirs à onze heures trente.

— O.K., à plus tard.

Kevin demanda à son père de le conduire à l'aréna. Lorsqu'il fut prêt à partir, il trouva une enveloppe sur le paillasson du vestibule. Il reconnut la calligraphie et en fut chaviré. Voilà donc ce qu'il restait de leur relation: une carte de souhait minable déposée chez lui avec un jour de retard. Sans même ouvrir l'enveloppe, Kevin la déchira en deux et la jeta à la poubelle.

Son père le taquina tout au long du trajet jusqu'à l'aréna.

— Fais attention de ne pas te laisser embrasser par toutes ces filles quand tu compteras un but. Et, dis-moi, est-ce que vous allez vous doucher tous ensemble?

— Oh, papa, arrête un peu!

Il s'avéra que l'équipe comptait un plus grand nombre de filles que de garçons et qu'il n'y avait aucun joueur de réserve. L'autre équipe ne comptait que deux garçons.

— Le problème, lui expliqua Patrick, c'est que nous n'arrivons pas à trouver des gars fiables. Ils viennent jouer une partie et quand ils se rendent compte que les filles sont meilleures qu'eux ils ne reviennent pas.

Kevin fit un signe de tête: il comprenait le problème de Patrick. Il regarda autour de lui pendant que Patrick discutait stratégie. Il reconnut d'anciennes élèves de Mont-Bleu, mais la plupart des visages lui étaient étrangers. Patrick lui expliqua que les filles venaient presque toutes du Collège Saint-Joseph.

— Tu te souviens de moi? lui demanda une grande fille blonde alors qu'ils faisaient des exercices d'échauffement sur la glace.

— Heu… ouais, bégaya Kevin.

La fille était jolie et son visage resplendissait de santé. Il semblait à Kevin qu'il l'avait déjà vue quelque part. Mais, comme elle portait un uniforme et que son visage ne montrait aucune trace de maquillage, Kevin eut du mal à la reconnaître. Puis il se souvint de l'avoir vue en compagnie d'un garçon.

— Cynthia?

Cynthia acquiesça de la tête.

— Nous nous sommes rencontrés au *party* de Patrick. Toi, tu t'appelles Kevin, n'est-ce pas? Tu étais avec une fille… Amélie, je crois.

— C'est exact. Mais nous avons *cassé* depuis.

Kevin se rappelait maintenant avec qui il avait vu Cynthia.

— En fait, je crois qu'elle sort avec le gars avec qui tu étais au *party*: Marc-André.

Cynthia fronça des sourcils.

— Vraiment? Dans ce cas, je la plains.
— Pourquoi?
— Elle le découvrira bien assez vite.

19

Le seul côté négatif qu'Amélie trouvait à sa relation avec Marc-André était le fait qu'il travaillait trop. Il tenait à obtenir d'excellentes notes pour pouvoir être admis à la faculté de droit de l'université McGill. Lorsqu'elle répéta qu'elle n'avait pas l'intention d'aller étudier au cégep, il fut clair que cela le dérangeait. Amélie révisa alors ses positions. Elle travailla même plus fort à l'école parce qu'elle était persuadée que Marc-André la respecterait d'autant plus. Ses notes s'améliorèrent un peu. Ses parents étaient ravis.

— Tu vois ce que tu peux faire quand tu t'en donnes la peine? lui dit sa mère. Tous tes professeurs s'entendent pour dire qu'il n'est pas encore trop tard pour que tu améliores tes moyennes.

Il y avait des années que les professeurs d'Amélie ne savaient plus quoi faire pour la motiver.

— Tu sais, poursuivit son père, tu pourrais même aller à l'université si tu le décidais.

— Oh, revenez-en un peu! s'exclama Amélie. J'aurais encore plus horreur de l'école! Ça voudrait dire encore plus de dissertations et plus d'examens. En plus, je serais endettée à vie. Merci, mais non.

— Il y a la vie étudiante aussi qui n'est pas à négliger, continua sa mère. Je me souviens lorsque j'ai rencontré ton père, pendant mon deuxième semestre.

— Arrête, s'il te plaît! Je n'ai vraiment pas besoin que vous me racontiez comment vous avez été heureux à l'université Carleton. Ma vie sociale est parfaite comme elle est.

— Oui, mais combien de temps cela durera-t-il? demanda Mme Fontaine.

— Elle s'améliorera sans doute lorsque j'aurai trouvé du travail et que j'aurai plus d'argent à dépenser, répondit Amélie sur un ton brusque.

— Mais quelle sorte d'emploi dénicheras-tu avec un petit diplôme d'études secondaires? contre-attaqua son père.

— C'est assez! annonça Amélie. J'en ai jusque-là!

Elle se précipita dans sa chambre en faisant le vœu solennel de ne plus jamais remettre un travail à temps, si c'était-là sa seule récompense. Il suffisait qu'elle obtienne quelques bonnes notes pour que ses parents veuillent changer sa personnalité du tout au tout. Amélie aurait bien aimé téléphoner à Marc-André pour s'en plaindre, mais il ne la comprendrait pas. Chantal ne serait pas non plus une bonne oreille, puisqu'elle adorait l'école. Elle rêvait déjà du jour où Éric et elle étudieraient à la même université.

Kevin, lui, l'aurait comprise. Il la comprenait toujours. Pour lui, l'école n'était rien de plus qu'une étape à franchir et qui prendrait fin un jour. Amélie continuait de penser souvent à lui. Le temps qu'elle avait passé avec lui avait été une période de maturation pour elle, pensait-elle. Sa relation l'avait aidée à comprendre quelles étaient les valeurs qui lui importaient. Chaque fois qu'Amélie pensait à Kevin, elle était troublée. Elle se sentait coupable de la façon dont elle l'avait traité et fâchée aussi du dénouement de leur histoire. Mais elle ressentait surtout de la frustration. Elle était certaine qu'une partie d'elle-même était toujours amoureuse de Kevin et le resterait à tout jamais. Mais elle n'arrivait pas à définir de quelle sorte d'amour il s'agissait. Et d'ailleurs, combien de sortes d'amour existait-il? Peut-être que leur relation n'aurait finalement jamais fonctionné à cause du jeune âge de Kevin. Mais Amélie en doutait. Il lui arrivait de souhaiter qu'ils redeviennent des amis.

Mais le moment n'était pas encore venu. Comment réagirait-il si elle lui téléphonait? Il se montrerait amer, assurément. Il aurait du ressentiment à son égard. Ou pire encore, il pourrait se bâtir de faux espoirs. Amélie s'étira le bras jusqu'à son sac à dos d'où elle sortit un paquet de cigarettes. Ses parents détestaient qu'elle fume à la maison. Ils avaient arrêté de fumer vingt ans plus tôt. Eh bien, tant pis! Sa chambre était sa chambre et elle en disposerait comme elle l'entendrait. Elle ne ressemblait plus guère à la fille rêveuse et douce dont Kevin était tombé amoureux. Non, elle était plus vieille, plus mature. Et plus dure.

Amélie referma le livre qu'elle devait lire dans le cadre de son cours de français. Elle sortit un magazine à potins de son sac. «EXCLUSIF! La vie secrète d'une hôtesse de l'air!» C'était tout ce qu'elle lirait ce soir. Elle en avait assez de sa petite vie dans son petit village, de voir toujours les même gens à l'esprit étroit. Et si elle devenait elle-même agent de bord? Elle pourrait laisser derrière elle ce village et ses habitants.

— Kevin! Par ici!

C'était le deuxième dimanche que Kevin jouait avec l'équipe de Patrick. Il considéra l'espace dont il disposait pour faire une passe à Cynthia. Elle était bien placée pour marquer un but, à la gauche du filet.

Mais Kevin devait d'abord se débarrasser d'un joueur gênant. La défenseure de l'équipe adverse était bâtie comme une armoire à glace. Mais cela voulait aussi dire qu'elle se déplaçait moins rapidement et que Kevin ne devrait avoir aucun problème à la contourner. Kevin fonça droit sur elle, puis s'en écarta habilement. Il lança la rondelle en direction de Cynthia.

— Aïe!

La défenseure venait de faire un croc-en-jambe à Kevin. Il alla s'affaler sur la glace. Sa cheville lui faisait tellement mal que c'est à peine si son cerveau enregistra le but qui venait d'être marqué par Cynthia.

— Hé, est-ce que Kevin va bien?

C'était la voix de Cynthia. Elle avança vers lui pendant qu'il tenait sa cheville à deux mains.

— Ça fait mal?

— Ça va aller. Je suis tombé d'une drôle de façon, c'est tout. C'est toi qui a marqué le but?

— Oui, répondit Cynthia d'une voix inquiète. Mais je ne suis pas certaine que tu ailles aussi bien que tu le dis. Viens. Laisse-moi t'aider.

Elle lui passa un bras sous l'aisselle et il lui entoura les épaules. Doucement, elle l'aida à se remettre sur pied. Kevin souffrait le martyr. L'arbitre vint examiner sa cheville.

— C'est une mauvaise entorse, annonça-t-il. Dans deux jours, plus rien n'y paraîtra.

Cynthia aida Kevin à sortir de la patinoire en clopinant. La partie fut interrompue pendant une dizaine de minutes, le temps de permettre à l'arbitre de bander la cheville de Kevin. Il s'avéra que le but marqué par Cynthia était le but gagnant. L'équipe de Patrick l'avait emporté par un point.

Cynthia vint s'asseoir à côté de Kevin dès que le match fut terminé.

— Patrick est allé téléphoner à ton père pour qu'il

vienne te chercher.

— Merci. Mais mon vélo?

— Je peux le prendre si tu veux et j'irai te le porter plus tard.

— Ça ne te dérange pas?

Cynthia fit signe que non de la tête.

— Mais non, ça ne me dérange pas. De toute façon, c'est grâce à toi si j'ai marqué le but. Je t'en dois une. Où habites-tu?

Cynthia fut fidèle à sa parole. Quatre heures plus tard, elle arrivait chez Kevin avec son vélo.

— Comment va ta cheville?

Kevin haussa les épaules.

— J'ai connu pire. Mais il semble bien que je ne pourrai pas faire ma ronde de journaux pendant au moins deux jours.

Cynthia lui adressa un sourire de sympathie.

— Je suppose que tu ne pourras pas danser non plus. Quel dommage! Moi qui voulais t'inviter à aller danser ce soir!

— Une autre fois peut-être, lui dit Kevin en souriant.

— D'accord, une autre fois.

Elle resta chez Kevin pendant une demi-heure. Ils parlèrent surtout de sport. Cynthia paraissait tout savoir au sujet de tous les sports et même au sujet de sports que Kevin ne connaissait pas. La conversation finit par dévier sur Marc-André.

— Et quel était le sport préféré de Marc-André? demanda Kevin.

Le visage de Cynthia afficha une expression d'amertume.

— Un seul, dit-elle. Et je lui ai dit que je ne le pratiquerais pas avec lui. C'est à ce moment-là que nos chemins se sont séparés.

Le sarcasme de sa voix se transforma rapidement en colère.

— Je déteste les gars comme lui. J'en ai rencontré d'autres de ce genre-là, des gars de bonne famille et tout et tout, mais ils s'imaginent qu'ils sont un cadeau du ciel. Au début, ils sont très gentils, mais ça ne prend pas beaucoup de temps pour découvrir quelle est leur tactique. Ils pensent que dès qu'ils nous font l'honneur de leur présence, ils peuvent faire ce qu'ils veulent de nous, les filles. Je lui ai dit d'aller se faire voir.

Kevin inclina la tête. Il se demanda si Amélie ferait la même chose.

Le lundi matin, Amélie décida d'arrêter au dépanneur avant d'aller prendre l'autobus. Elle n'avait plus de cigarettes. Elle entra dans le magasin et ce ne fut que lorsqu'elle fut près du comptoir qu'elle le remarqua.

— Je crois que ça ira mieux demain, disait Kevin.

Puis il retourna et il la vit. Son visage se rembrunit.

— Tu ne fais pas ta ronde? lui demanda-t-elle.

Kevin marmonna une réponse.

— Je me suis tordu la cheville en jouant au hockey. Je dois prendre l'autobus aujourd'hui.

Amélie se contraignit à sourire. Maintenant qu'elle l'avait en face d'elle, elle n'avait aucune envie de le laisser filer.

— Ça te va si je marche avec toi?

— Si tu veux.

Le préposé à la caisse interpella Amélie alors qu'elle s'en allait avec Kevin.

— Hé! Tu ne voulais rien?

— Non, répondit-elle.

L'autobus était presque vide.

— Et puis, comment va la vie? demanda Amélie.

— Pas trop mal, répondit Kevin en haussant les épaules.

— Est-ce que tu sors avec quelqu'un?

— Pas en ce moment.

Cette réponse plut à Amélie, même si elle savait qu'elle aurait dû la laisser indifférente. Ils se perdirent dans un étrange silence. Kevin aurait voulu savoir comment allait sa relation avec Marc-André et plus exactement s'il se comportait avec Amélie comme il l'avait fait avec Cynthia. Mais il ne savait pas comment lui poser la question. L'autobus se remplissait peu à peu. Personne ne passa de commentaire quand on constata que les anciens tourtereaux étaient assis sur la même banquette. Tout le monde savait qu'Amélie avait remplacé Kevin. D'ailleurs, on ne se gênait pas pour dire devant Kevin qu'Amélie avait été vue à tel ou tel endroit avec son petit ami. Chaque fois Kevin ressentait un pincement au cœur. Il avait même pensé sortir avec n'importe quelle fille pour qu'on cesse d'insister au sujet d'Amélie, mais aucune d'entre elle ne lui plaisait. Les filles de son âge lui semblaient vraiment trop jeunes. Elles l'ennuyaient. Kevin pensa qu'il était intéressant de remarquer que plus on prenait du recul face aux gens, plus ils perdaient de leur pouvoir.

— À quoi penses-tu?

La voix d'Amélie était empreinte de tendresse, comme au temps où ils étaient amoureux. Kevin sortit de sa rêverie.

— À rien en particulier.

Amélie fronça les sourcils.

— C'est trop tôt, n'est-ce pas?

— Trop tôt pour quoi?

— Pour que nous redevenions amis.

Kevin fit un signe de tête négatif.

— Ce n'est pas trop tôt, lui dit-il. C'est trop tard.

Amélie ne trouva rien à répondre. Quelques instants plus tard, elle sortit un mouchoir et commença à s'essuyer le visage. Kevin n'osa pas la regarder franchement, si bien qu'il ne sut pas si elle pleurait ou si elle avait une poussière dans l'œil.

20

— De toute façon, dit Cynthia, la question est la suivante: Est-ce que je vais au cégep de Hull où à celui de Gatineau l'année prochaine?

— Aucune idée! répondit Kevin en souriant. Mais est-ce que ça fait une différence?

Cynthia le regarda d'un air interrogateur. Puis elle se pencha et l'embrassa.

— Tu sais que oui, reprit-elle ensuite, j'ai besoin de savoir ce que tu feras.

Kevin se demanda quoi lui répondre. Il y avait maintenant cinq semaines qu'ils jouaient au hockey ensemble. Kevin n'avait pas manqué un seul match malgré sa blessure. Cynthia et lui avaient joint le rang des meilleurs marqueurs. Ils étaient sortis ensemble à deux reprises. Kevin n'avait pas eu l'intention d'avoir une nouvelle amie, mais la chose s'était produite de façon toute naturelle. Cynthia était une fille avenante et il se sentait bien avec elle. Et, sans qu'il ne sache pourquoi, Cynthia semblait très attirée par lui. Il avait pris pour acquis qu'elle savait qu'il était beaucoup plus jeune qu'elle. Une camarade ou même Patrick Lapointe l'avaient sûrement mise au courant.

— Toi, qu'est-ce que tu vas faire? Tu poursuis tes études ou tu te trouves un travail? lui demanda Cynthia.

— Je n'y ai pas encore vraiment pensé, tergiversa Kevin. J'ai encore du temps devant moi. Je veux dire, je pense que je préférerais travailler, mais je sais qu'il n'est pas facile de trouver du travail. Je verrai dans le temps comme dans le temps.

— Mais c'est seulement dans six mois, protesta Cynthia.

Puis elle marqua une pause. De l'inquiétude se dessinait sur son visage.

— Il y a quelque chose que je ne comprends pas, hein? Tu n'as pas l'intention de sortir avec moi dans six mois, c'est ça?

Kevin la prit dans ses bras.

— Non, ce n'est pas ça. C'est seulement que…

Cynthia secoua la tête.

— Ne te donne pas la peine de m'expliquer.

Elle posa les yeux sur la fenêtre, le regard amer.

— Tu sais, j'ai l'habitude. Chaque fois que je commence à me rapprocher de quelqu'un, ou bien je ne l'intéresse pas, ou bien il ne s'intéresse à moi que pour une seule chose. Je croyais que tu étais différent.

— Ce n'est pas ce que tu penses, protesta Kevin.

Cynthia continuait de balancer sa tête de gauche à droite. Puis, elle se retourna et le regarda droit dans les yeux.

— Oublie ça, dit-elle. J'ai eu une réaction exagérée. Mais promets-moi que tu ne me laisseras pas tomber avant Noël. J'ai déjà acheté ton cadeau.

Kevin lui sourit.

— Je ne te laisserai pas tomber si tu ne me laisses pas tomber, dit-il. Mais j'ai quelque chose à t'avouer.

— Quoi? fit-elle, d'un air inquiet.

— La raison pour laquelle j'ai encore beaucoup de temps pour décider si j'irai ou non au cégep.

Il bafouilla presque en lui avouant son secret.

— Je suis en quatrième secondaire.

— Tu as été recalé d'une année? demanda Cynthia qui visiblement n'y comprenait rien.

— Non. Je viens d'avoir quinze ans.

Cynthia haussa les épaules.

— Mais je croyais…

Elle se pencha vers lui et l'embrassa de nouveau.

— Quel âge a Amélie?

— Le même que toi.

Cynthia sourit.

— Amélie, moi… on dirait bien que tu préfères les filles plus vieilles.

Kevin éclata de rire.

— Ouais, c'est ce que je commence à penser moi-même.

— Viens-t'en. Je pensais que nous allions regarder le match chez ton ami.

Ils se levèrent et marchèrent jusqu'à l'arrêt d'autobus, main dans la main.

— Ça fait plus d'un mois que nous sortons ensemble. Tu sais bien que je suis sérieux en ce qui te concerne!

— Si tu es si sérieux que ça, alors tu pourras attendre que je sois prête.

— Mais qu'est-ce que tu penses que je fais depuis un mois? La plupart des gars…

— Laisse faire la plupart des gars. Quand ça arrivera, je veux que ce soit parce que nous nous sentirons bien ensemble et pas seulement parce que nous aurons la maison pour nous tout seuls…

Marc-André ne put s'empêcher de sourire.

— Pourtant, ça me semble un moment idéal.

Amélie s'éloigna. Elle était troublée. Elle ne reconnaissait plus le garçon dont elle s'était amourachée. Comment quelques verres d'alcool pouvaient-ils transformer un garçon chaleureux et intelligent en une personne à l'esprit tordu?

— Sois patient avec moi, l'implora-t-elle. C'est seulement que…

— Je te respecte, Amélie, l'interrompit-il. Si tu n'es pas prête à faire quelque chose, alors, tu n'es pas prête. Mais je tiens à te dire quelque chose que je n'ai encore jamais dit à une fille et… j'avoue que ça me fait peur: je t'aime. Et c'est pour ça que je veux…

— Chut!

Amélie l'embrassa. C'était stupide de ne pas se laisser aller à ses désirs. Marc-André était ce qu'elle avait de mieux dans sa vie. Elle savait, et Marc-André aussi, que Chantal faisait déjà l'amour avec Éric. Peut-être que ce soir serait le grand soir… Amélie déposa sur les lèvres de Marc-André un baiser rempli de tendresse. Il lui caressa le dos d'une main. De l'autre, il fouilla dans sa poche. Amélie devina ce qu'il cherchait. Marc-André était un garçon qui avait le sens des responsabilités.

— Mmm, murmura-t-elle, c'est bon.

Marc-André n'était pas comme Éric. Il était prévenant et essayait de lui faire oublier son empressement. Mais, au fur et à mesure qu'approchait le moment décisif, le malaise d'Amélie grandissait. Ce n'est pas correct, se dit-elle. Je ne devrais pas avoir peur.

— Attends, dit-elle doucement. Pas encore.

— Je ne peux pas attendre, chuchota Marc-André dont la voix trahissait l'empressement. Mais qu'est-ce que tu as au juste? C'est tout de même pas la première fois que tu fais ça. Éric m'a dit…

Amélie figea sur place. Puis elle le repoussa.

— Éric t'a menti, peu importe ce qu'il t'a dit, affirma-t-elle sur un ton agressif.

— O.K., O.K., je n'aurais pas dû en parler. Je suis navré.

— Moi aussi. Je suis navrée que tu l'aies cru. Je me demande même si je devrais te croire quand tu me dis que tu n'as jamais fait de déclaration d'amour à personne. Il y en a qui seraient prêts à dire n'importe quoi pour qu'une fille accepte de faire ce qu'on lui demande.

— Je ne suis pas comme ça, protesta Marc-André qui commençait à se fâcher.

Amélie le fusilla du regard.

— Dans ce cas, tu ne verras pas de problème pour attendre le temps qu'il faudra.

Marc-André hocha la tête lentement.

— O.K.

— O.K., répéta Amélie. Et maintenant, il est tard. Je crois que c'est le temps que tu t'en ailles.

Marc-André la regarda d'un air maussade. Puis il fit ce qu'elle lui avait demandé.

Plusieurs filles de l'école savaient que Kevin sortait avec Cynthia, mais, étrangement, aucune d'entre elles ne se moqua de lui. Peut-être que ce revirement d'attitude était lié au fait que Cynthia fréquentait une autre école. En prime, Pete et Martin l'aimaient bien et elle s'entendait bien avec Hélène. La seule chose que Kevin trouvait étrange chez Cynthia, c'était qu'elle était obsédée par les sports. Pas seulement le hockey, mais aussi le ballon-panier, le badminton, la natation, le football et l'été, l'avait-elle mis en garde, elle pratiquait le tennis. Ses activités sportives l'occupaient tellement qu'il était difficile d'obtenir un rendez-vous avec elle.

Mais quand il ne la voyait pas, elle ne lui manquait pas comme Amélie lui avait manqué. L'absence d'Amélie lui avait causé des douleurs presque physiques, comme si on lui avait arraché une partie du cœur. Il souffrait moins depuis qu'il sortait avec

Cynthia. Kevin ne voyait plus du tout Amélie. Lorsqu'il la croisait dans un corridor, il détournait le regard si elle ne le faisait pas elle-même. Depuis leur dernière rencontre au dépanneur, Kevin prenait l'autobus municipal. Cela lui évitait d'être en sa présence.

Cependant, il continuait de déposer le journal dans sa boîte aux lettres chaque matin et alors il pensait à elle. Il n'avait pas changé son itinéraire depuis leur rupture. Les rideaux de la chambre d'Amélie étaient toujours tirés lorsque Kevin passait chez elle et il supposait qu'elle ignorait que la maison des Fontaine était la dernière à recevoir son journal. Un jour, il changerait de routine, se promettait-il quotidiennement, mais quand il rentrait chez lui cette intention le quittait comme elle était venue.

Une semaine avant Noël, Kevin reçut une carte d'invitation. «Ne joue pas aux étrangers. Viens nous voir le lendemain de Noël. Amitiés, A.»

Le lendemain de Noël était une journée «portes ouvertes» chez Amélie. Des amis du village venaient prendre un verre, manger du gâteau aux fruits et bavarder. Depuis aussi longtemps qu'il se souvienne, Kevin n'avait jamais manqué un lendemain de Noël chez les Fontaine. Mais depuis le *party* d'Amélie, il n'était plus entré dans la maison. Il n'était pas certain d'être assez détaché d'Amélie pour se risquer à aller chez elle. Aussi, il espérait voir Cynthia ce jour-là. Et l'idée d'aller chez Amélie avec elle ne le réjouissait pas, surtout qu'Amélie fréquentait l'ex-petit ami de Cynthia.

Le samedi, Kevin acheta le nouveau disque compact de Madonna, le cadeau de Noël de Cynthia. Il s'acheta un chandail avec l'argent qui lui resta. Cynthia avait fait une petite allusion au fait qu'il avait besoin de nouveaux vêtements. Et ce soir, ils allaient écouter un concert avec Patrick et Carole-Anne qu'il avait rarement revus depuis le *party*. Le père de Cynthia leur avait offert de les amener à Ottawa et de les reconduire chez eux après le concert.

— Comme tu as grandi! s'étonna Carole-Anne quand elle le vit.

C'était vrai. Il était en pleine croissance et il avait grandi d'environ cinq centimètres en deux mois.

— Mais pas toi.

Carole-Anne mesurait à peine 1m40 alors que Patrick faisait presque 1m80. Physiquement, ils formaient un drôle de couple, mais ils avaient l'air très heureux ensemble. Kevin s'informa de Chantal, mais le regretta presque aussitôt.

— Éric l'obsède encore totalement. Je ne la vois presque plus en dehors de l'école. Mais Amélie, oui. Marc-André et elle sortent souvent avec eux. Mais Patrick et moi…

— Nous ne sommes pas assez bien pour eux, l'interrompit Patrick. Ces deux-là font comme s'ils étaient déjà à l'université.

— Des vrais snobs, renchérit Carole-Anne. Je ne sais pas pourquoi Chantal et Amélie…

— Allez-vous arrêter à la fin? dit Cynthia, qui était assise sur la banquette avant. Amélie par ici, Amélie là… Est-ce que vous vous sentez vraiment obligés de prononcer son nom à tout bout de champ?

Patrick et Carole-Anne restèrent silencieux. *Elle sait*, pensa Kevin. Cynthia sait que je suis encore amoureux d'Amélie. Et c'est à cela qu'il pensa pendant tout le concert qui d'ailleurs n'était pas très bon. Leurs sièges étaient si loin de la scène qu'ils auraient pu attendre que le spectacle soit diffusé à la télévision. Mais il n'en restait pas moins que Cynthia était un meilleur choix qu'Amélie pour Kevin. Ils avaient plus de points en commun. Et Cynthia était très jolie. Et très éprise de lui. Mais ce n'était pas encore assez.

Même Patrick eut du mal à trouver un aspect positif au spectacle pendant qu'ils rentraient chez eux. Patrick était assis en avant pendant que Kevin et Cynthia étaient blottis l'un contre l'autre, sur la banquette arrière. Carole-Anne dormait ou du moins, faisait semblant.

— J'ai très hâte à Noël, murmura Cynthia à l'oreille de Kevin.

— Moi aussi.

— Nous allons pouvoir passer beaucoup de temps ensemble.

— Ouais.

Il la serra un peu plus fort. Ni lui ni elle n'avaient reparlé de la promesse qu'il lui avait faite quelques semaines plus tôt: il ne la quitterait pas avant Noël. Après cette date, la garantie devenait invalide. *Ça passe ou ça casse pendant les vacances*, pensa Kevin. Les vacances lui permettraient peut-être de se rapprocher de Cynthia et de se libérer du fantôme d'Amélie. Mais dans le cas contraire, il la laisserait. Il serait injuste envers Cynthia de faire durer une relation vouée à l'échec. Mais il ne lui en parlait jamais. Il n'avait d'ailleurs jamais réussi à se confier à Cynthia comme il l'avait fait avec Amélie.

Kevin remercia le père de Cynthia de l'avoir déposé chez lui et il embrassa chastement son amie sur les lèvres.

— Dors bien. On se verra demain à l'aréna.

Elle lui sourit de façon à lui faire comprendre que s'ils avaient été seuls, elle aurait été beaucoup plus démonstrative. Kevin se résigna à sourire en retour. Le cœur n'y était vraiment pas. Il commençait à ressentir le même agacement que lorsque Hélène Scott lui avait déclaré son amour. Il aurait aimé avoir une pancarte qu'il aurait pu agiter. Une pancarte sur laquelle aurait été écrit «Ralentissez», ou même «Arrêt»!

21

Marc-André avait offert une chaîne en or ornée d'un pendentif en forme de cœur à Amélie. Il ne savait pas que Kevin lui avait déjà fait un cadeau semblable quelques mois plus tôt. Elle ne portait jamais le bijou de Kevin. Mais celui-ci ne s'ouvrait pas comme celui de Kevin. Marc-André n'avait fait graver aucun message. Peut-être était-il persuadé qu'Amélie le quitterait. Il n'avait pas voulu personnaliser son cadeau pour pouvoir l'offrir à une autre fille.

Chantal et Amélie étaient devenues les meilleures amies du monde en deux mois. Carole-Anne avait perdu sa place de choix dans la vie de Chantal. Amélie avait perdu Kevin. C'est pour cette raison qu'elle avait plus besoin de l'amitié de Chantal que de celle de Carole-Anne. Sans compter qu'elles fréquentaient toutes deux des garçons qui étaient amis.

— Est-ce que je peux parler avec Chantal?

— Je ne sais pas, Amélie. Elle ne se sent pas très bien, répondit la mère de Chantal. Chantal!

— Qu'est-ce qu'elle a? demanda Amélie.

— Elle s'en vient, elle te le dira elle-même.

Amélie entendit les pas de son amie qui approchait. Dès qu'elle entendit sa voix, elle comprit que Chantal avait pleuré.

— Chantal, qu'est-ce qui se passe?

— C'est Éric. Il a cassé.

— À Noël? Comment a-t-il pu te faire ça?

— Il a rencontré une fille au *party* de fin de session la semaine dernière, répondit Chantal d'un seul souffle. Il dit qu'il la préfère à moi et qu'il est inutile de me mentir.

Amélie traita Éric de tous les noms. Elle savait qu'il était allé au *party* de fin de session car Marc-André était allé y faire un tour lui aussi. Il n'avait d'ailleurs pas invité Amélie, car il se disait qu'elle s'y ennuierait à mourir.

— Tu sais ce qu'il m'a dit en plus? reprit Chantal. Il m'a dit que j'étais un peu trop jeune pour lui et qu'il préférait sortir avec quelqu'un de son âge.

Amélie soupira. Elle se souvint du conseil que Chantal lui avait prodigué alors qu'elle sortait encore avec Éric. Il s'avérait judicieux, mais c'était Chantal qui subissait les conséquences de ne l'avoir pas suivi. Éric avait obtenu ce qu'il voulait d'elle, s'en était lassé, l'avait quittée. Pendant la demi-heure qui suivit, Amélie et Chantal se mirent d'accord pour dire que les hommes étaient tous des salauds dont on pouvait se passer la plupart du temps.

La nouvelle de Chantal jeta une ombre sur cette journée de Noël. Marc-André était venu visiter Amélie pendant la matinée, ils s'étaient échangé leurs cadeaux (elle lui avait offert une montre à la mode, il avait dit qu'il l'adorait). Elle ne le reverrait plus de la journée. Après le dîner, ses parents allèrent s'écraser devant la télé et Amélie sortit faire une marche.

En temps normal, elle serait allée voir Kevin. Mais elle ne lui avait pas reparlé depuis des mois, depuis en fait cette horrible conversation qu'ils avaient eue dans l'autobus.

Il faisait froid. Elle fourra ses mains dans ses poches et marcha la tête haute. Elle se rendit jusqu'à la rue où habitait Kevin. Elle sentit un bout de papier dans le fond d'une poche. Curieuse, Amélie sortit le morceau de papier chiffonné. C'était Kevin, photographié sur une plage. La photo datait sûrement de ses dernières vacances, mais Kevin paraissait beaucoup plus jeune que maintenant. Il semblait à Amélie que chaque fois qu'elle le voyait, il avait grandi de deux centimètres et que son visage perdait son air juvénile.

Elle était maintenant beaucoup plus loin que la rue de Kevin. Elle jeta un coup d'œil derrière elle. Comme s'ils s'étaient consultés, Kevin apparut au coin de la rue, à califourchon sur son vélo, coiffé de son casque protecteur. Il ne la vit pas. Il roulait en direction opposée. Pendant un moment, Amélie se plut à croire qu'il viendrait à sa rencontre. Mais il se dirigea vers la route provinciale. Qui donc allait-il voir en cet après-midi de Noël? Amélie continua de marcher. Kevin lui manquait. Elle se sentait si bien en sa compagnie. Elle pouvait lui faire confiance, sachant qu'il ne la trahirait jamais. Marc-André, par contre, et malgré son charme, son audace et son goût pour le cinéma étranger, en était indigne. Marc-André s'en irait bientôt vers un monde où elle ne le suivrait pas. Non. Quoi qu'il en dise, Marc-André ne l'aimait pas vraiment. Tandis que Kevin…

Il l'avait aimée. Amélie essaya de se rappeler les circonstances qui les avaient séparés: le harcèlement, la jalousie, la haine de leurs camarades d'école. Amélie n'aurait pas dû accorder tant d'importance aux insultes. Mais elle les avait écoutées. Et, pendant quelques moments d'égarement, elle avait cru que quelqu'un de mieux entrerait dans sa vie. Elle avait cru que c'était Marc-André. Elle aurait dû se douter que son château de cartes s'effondrerait. Elle comprenait maintenant que ce qu'elle avait vécu avec Kevin était unique. Mais il était trop tard.

Si un jour leur routes se croisaient de nouveau, ce serait sans doute dans plusieurs années, ils seraient probablement assez vieux pour rire de leur jeunesse. Même pour Marc-André il était trop tard. Elle ne l'avait jamais vraiment aimé. Et il ne l'aimait pas non plus. Il était d'agréable compagnie, certes, mais elle ne ferait pas l'amour avec quelqu'un qu'elle n'aimait pas. Il la quitterait dès qu'elle le lui dirait. Aussi bien prendre les devants.

Kevin parlait de l'invitation des Fontaine comme s'il avait parlé de la pluie et du beau temps.

— Nous ne sommes pas obligés d'y aller, dit-il. En fait, si nous restons ici, nous aurons la maison pour nous seuls car mes parents s'y rendront.

Cynthia haussa les épaules.

— Ce serait peut-être amusant d'y aller pendant une demi-heure.

— Pourquoi?

Cynthia lui adressa un sourire malicieux.

— Vengeance. Pour leur montrer, à lui et à elle, que nous nous portons beaucoup mieux sans eux.

Kevin éclata d'un rire embarrassé. Il avait craint qu'elle n'adopte cette attitude.

— En plus, continua Cynthia, je crois qu'il est temps que tu te la sortes du système. Tu m'as dit que vous vous étiez quittés d'un commun accord, mais chaque fois que je parle d'elle, ton visage prend une expression de fin du monde. Est-ce que tu m'as dit la vérité? Ou bien est-ce elle qui t'a quitté?

Kevin réfléchit avant de répondre.

— Nous avons décidé ensemble d'en finir, et c'est autant ma décision que la sienne. Mais, j'avoue que je savais que si je n'acceptais pas la rupture, elle m'aurait laissé tomber de toute façon. Pour conclure, on peut dire qu'elle m'a quitté même si dans les faits ce n'est pas le cas. Tu me suis?

Cynthia inclina la tête.

— Je crois, oui, et cela ne fait que confirmer que nous devrions y aller. Je connais Marc-André Tanguay comme le revers de ma main et, crois-moi, je suis heureuse de ne plus être dans ses pattes. Nous allons lui montrer, à ton Amélie, tout ce à quoi elle a renoncé!

À deux heures le lendemain de Noël, Kevin, ses parents et Cynthia se rendirent à pied chez les Fontaine. Cynthia bavardait avec bonne humeur. Kevin était persuadé qu'ils commettaient une erreur. Mais il avait envie de voir Amélie. Cela faisait trop longtemps. M. Fontaine les accueillit. La grande maison était pleine à craquer mais Amélie était introuvable. Chantal était là, plantée au pied de l'escalier. Kevin alla la saluer. Elle avait l'air misérable.

— Carole-Anne n'est pas avec toi?

— Je ne l'ai pas vue beaucoup ces derniers temps.

Kevin se rappela que Carole-Anne avait parlé du fait que leur amitié s'effritait. Il ne posa pas plus de questions à son sujet.

— Tu te souviens de Cynthia?

Chantal ne s'en rappelait pas. Kevin faisait les présentations quand quelqu'un dévala les marches à toute vitesse. Kevin leva la tête. C'était Marc-André Tanguay et il n'avait pas l'air très content.

— Salut, Marc-André, lui dit Cynthia d'une voix doucereuse. Tu te souviens de Kevin?

Marc-André foudroya Cynthia du regard. Puis, les ignorant, il commença à fouiller parmi les manteaux empilés sur la rampe. Ayant trouvé celui qu'il cherchait, il l'extirpa de la pile d'un coup sec, bouscula quelques invités et ouvrit la porte. Puis il s'immobilisa, enleva la montre qu'il avait au poignet, la lança par terre et la piétina. Deux minutes plus tard, Amélie apparut dans l'escalier. Elle paraissait parfaitement calme. En fait, pensa Kevin, elle est magnifique. Elle portait ce chemisier en soie blanche que Kevin connaissait si bien. Quand elle lui sourit, Kevin sentit son cœur ne faire qu'un bond. Il sut dès lors qu'il n'aurait pas dû venir.

— Est-ce qu'il est parti? demanda Amélie à Chantal.

— Oui, il est parti.

Chantal pointa la montre du bout du doigt. Amélie la ramassa. Le boîtier était fracassé.

— J'ai gardé le reçu, leur dit-elle. Pensez-vous que je vais réussir à l'échanger?

Kevin se mit à rire nerveusement. Il remarqua l'expression anxieuse sur le visage d'Amélie pendant qu'elle se rendait à la cuisine. Elle était sur le point d'éclater en sanglots. Il était clair qu'elle venait de rompre avec Marc-André Tanguay.

— Je te présente Cynthia, dit-il quand elle revint avec un plateau contenant des boissons.

— Je crois que nous nous sommes déjà vues au *party* de Patrick Lapointe, dit Cynthia sur un ton cordial.

Amélie cligna des yeux.

— Tu sortais avec Marc-André, hein?

— Oui.

Amélie buvait un verre de rhum et coke, ce qu'elle ne buvait normalement pas. Kevin ne passa aucun commentaire même s'il savait que ses parents ne lui permettait de boire que du vin. Elle avala une grande gorgée, puis marqua un temps d'arrêt en regardant Cynthia.

— Et maintenant, tu sors avec Kevin?

— C'est ça, oui, répondit Cynthia.

Amélie sourit maladroitement.

— Nous avons fait un échange, dit-elle comme à elle-même.

Cynthia acquiesça poliment de la tête.

— C'est une façon de voir les choses, oui.

Amélie avala le reste de son verre.

— Est-ce qu'on pourrait échanger de nouveau?

Cynthia faillit s'étouffer en avalant une gorgée de jus. Elle ne savait pas trop comment réagir. Kevin éclata de rire et essaya de tourner le commentaire à la blague.

— Cette bonne vieille Amélie! Ça la rend folle quand un gars traite une fille comme si elle était un objet, mais quand elle fait la même chose, elle considère que c'est normal. C'est ça, non?

— Je ne sais pas, répondit Amélie. Ce que tu viens de dire est trop compliqué pour moi.

Elle lui tendit son verre vide pour qu'il aille le remplir. Il se rendit à la cuisine où il emplit le verre de Coke. Si Amélie s'enivrait encore plus, elle pourrait se mettre à exagérer. Il allait sortir de la cuisine quand M. Fontaine lui tapota l'épaule.

— Ça fait du bien de te voir ici, Kevin. Tu nous manques beaucoup.

Kevin sourit avec timidité.

— Comment ça va à l'école?

Kevin haussa les épaules. Il aurait voulu aller retrouver Amélie, mais il était maintenant contraint d'entretenir une conversation. Quand M. Fontaine le laissa finalement au bout de cinq minutes, les trois filles avaient disparu. Leurs verres aussi. Amélie avait emporté avec elle le verre de vin de Kevin. Il alla regarder dehors. Personne. Elles devaient être en haut. Normalement, il serait monté les retrouver, mais, devant tous ces gens, il n'osait pas. Il décida de les attendre. Elles reviendraient sans doute bientôt.

Une demi-heure plus tard, Kevin s'ennuyait ferme. Les adultes avaient rarement quelque chose d'intéressant à dire aux adolescents. Il ne cessait de regarder l'escalier. Il y avait plus de gens qui partaient qu'il y en avait qui arrivaient. Ses parents s'en iraient bientôt. Il avait espéré partir avant eux avec Cynthia pour profiter d'un moment de solitude avec elle. Finalement, il décida qu'il en avait assez. Il monta les marches. Après tout, la salle de bain se trouvait là-haut. La première chose qu'il entendit en arrivant à l'étage fut les rires provenant de la chambre d'Amélie. Il frappa à la porte. Il entendait Amélie qui disait:

— Et la façon qu'il a de se regarder chaque fois qu'il rencontre un miroir…

— Oh, oui! Je sais… répliquait Cynthia.

Les filles éclatèrent d'un rire encore plus sonore. Kevin frappa de nouveau.

— Quoi! s'écria Amélie, impatiente.

Kevin poussa sur la porte. Les trois filles étaient assises par terre. Elles avaient retiré leurs chaussures et avaient déposé leurs verres vides à côté. Amélie fumait.

— Heu… ça commence à être plus qu'ennuyant en bas, marmonna-t-il.

— Désolée, Kevin, mais nous sommes occupées à nous confier des secrets de filles, répondit Cynthia en réprimant son envie de rire. Nous faisons le procès de nos anciens *chums*.

— C'est ce que j'avais compris.

— Oh, mais je n'ai rien à cacher à Kevin, annonça Amélie d'une voix forte. C'est le seul gars qui m'ait aimée pour ce que je suis.

Même si Kevin savait pertinemment qu'Amélie était ivre, ce qu'elle venait de dire le chavira. Il se prit à lui trouver des excuses pour justifier sa conduite.

Elle avait du chagrin. Elle n'était pas elle-même. Mais, au fur et à mesure de la conversation des filles, Kevin se trouva de plus en plus embarrassé. Il ne tenait pas à savoir à quel point Marc-André Tanguay était un être visqueux. Cynthia lui serra la main. Ce geste lui parut déplacé, surtout devant Amélie. Dès qu'il le put, Kevin retira discrètement sa main de celle de Cynthia. Puis Cynthia s'aperçut que Kevin s'ennuyait et elle lui proposa de s'en aller. Amélie se leva elle aussi.

— Est-ce que ça te dérange si j'embrasse ton *chum*? Après tout, c'est Noël! demanda Amélie à Cynthia.

Amélie avait du mal à articuler.

— Ne te gêne pas pour moi.

Ni Amélie ni Cynthia ne demandèrent son avis à Kevin. Il laissa Amélie le prendre dans ses bras. Son baiser mouillé goûtait la cigarette. Il eut l'impression d'embrasser un cendrier. Kevin salua Amélie et Chantal et s'empressa de sortir. Arrivé au rez-de-chaussée, il remarqua que presque tous les invités étaient partis.

— Elle est vraiment super, lui dit Cynthia. On peut dire que tu as du goût en matière de filles.

Kevin ne trouva rien à répondre. Il n'aimait pas la Amélie qu'il avait vue cet après-midi, la pauvre fille soûle qui prétendait être cynique alors qu'elle était blessée. Cynthia, au contraire, paraissait ravie. Elle avait l'impression d'avoir fait la connaissance de la vraie Amélie et la fille qu'elle avait eue sous les yeux n'avait rien de menaçant. Pourtant, quand Kevin compara Cynthia à Amélie, il comprit laquelle des deux il désirait le plus. Beaucoup, beaucoup plus. Il sut ce qu'il lui restait à faire.

22

Amélie se réveilla à trois heures avec l'impression qu'une armée de tambours s'étaient installée dans sa tête. Elle sut immédiatement qu'elle n'avait qu'elle-même à blâmer. Voilà! Elle ne boirait plus. Plus jamais d'alcool. Elle ne fumerait plus non plus. Elle avait l'impression d'avoir un cendrier dans la bouche. Elle se rappela les événements de la veille. Elle avait bu quelques verres avec Marc-André en attendant de trouver le courage de le congédier. Sa réaction avait été beaucoup plus violente que prévu. Ensuite, elle avait avalé une bonne rasade d'alcool afin de se remettre du coup d'éclat de Marc-André. Elle se souvenait vaguement de s'être comportée en imbécile devant Kevin. Elle n'avait pas su contrôler sa colère en le voyant avec Cynthia.

Après leur départ, elle avait continué de boire avec Chantal. Elles avaient *célébré* leur nouveau célibat. C'est comme ça qu'on devient alcoolique, se dit Amélie. Il y a certains pays où il est défendu de boire de l'alcool avant vingt et un ans. C'est peut-être une bonne chose. Amélie se souvenait vaguement du reste de l'après-midi. À six heures, son père était allé conduire Chantal chez elle. Sa mère n'avait pas essayé de la consoler. Après tout, sa fille changeait de petit ami comme elle changeait de chemise. Pendant qu'elle mettait de l'ordre dans la chambre d'Amélie, elle la sermonna en bonne et due forme. Amélie était une fille idiote et égoïste qui ne méritait pas qu'on la traite en adulte. Il lui serait défendu de boire à la maison jusqu'à ce qu'elle ait dix-huit ans. En sortant de la chambre, Mme Fontaine avait broyé d'une main les quelques cigarettes qu'il restait et les avait jetées à la poubelle.

Il était maintenant quatre heures et Amélie ne s'était toujours pas rendormie. Elle se traîna jusqu'à la salle de bain où elle avala deux comprimés de Tylenol. Elle se demanda quel jour on était. Le 27 décembre. Les comprimés firent rapidement leur effet. Amélie se rappela quelque chose. Puis, elle se souvint de quelque chose. Elle alla fouiller dans son dernier tiroir de bureau et en sortit une chaîne en argent sur laquelle il y avait un pendentif. Il était de moindre qualité que celui que lui avait offert Marc-André, mais à ses yeux, il valait beaucoup plus. Elle sortit la photographie qu'elle avait trouvée dans la poche de son blouson l'avant-veille. Elle était chiffonnée, mais le visage de Kevin était intact. Amélie prit un crayon et traça une ligne autour du visage. Puis elle découpa le cœur qu'elle venait de dessiner. La forme était parfaite. Un instant plus tard, elle portait Kevin sur son cœur. Un jour, se dit-elle. *Un jour il me reviendra*. Mais elle savait que ce jour n'était pas encore venu. Elle ne se souvenait pas complètement de la veille, mais elle se rappelait que Cynthia et lui formaient un beau couple. Et Amélie avait vraiment aimé Cynthia. Elle n'aurait pas voulu la blesser. Cependant, au fur et à mesure que les filles avaient démoli les garçons qu'elles connaissaient, elle s'était rendue compte que Kevin était celui qu'il lui fallait. Un jour, il lui reviendrait. C'était inévitable.

Kevin se réveilla à six heures et demie. Ce qu'il y avait de pire avec les vacances, c'est qu'elles se terminaient un jour. Puis il fallait se lever pour aller livrer les journaux. Kevin avait mal dormi. En y pensant bien, Cynthia avait plutôt bien réagi, mais Kevin ne pouvait s'empêcher de ressentir une certaine culpabilité.

— C'est injuste pour toi, lui avait-il dit. J'aimerais être amoureux de toi, mais ce n'est pas le cas.

Cynthia avait pleuré. Elle s'était attribué tous les torts.

— Je n'aurais jamais dû t'emmener là-bas.

— Mais tu avais raison quand tu disais que j'ai besoin de me libérer d'Amélie avant d'entreprendre une relation avec une autre fille.

Il s'était tu pendant un moment, puis avait ajouté:

— Je pense toujours à elle. Je suis désolé.

Cynthia avait secoué la tête de gauche à droite, puis s'était remise à pleurer de plus belle.

— Je ne peux pas faire semblant, avait-il insisté.

M. Paquette l'avait conduite chez elle. Ils n'avaient pas parlé pendant tout le trajet. Sans même qu'il soit mis au courant, le père de Kevin avait compris ce qui venait de se produire. Kevin avait accompagné Cynthia jusqu'à la porte de chez elle.

— Tu vas aller la voir, hein? Demain, tu vas aller voir ta précieuse Amélie?

— Peut-être, si elle veut bien de moi.

— Oh, ne t'inquiète pas pour ça, avait répliqué Cynthia avec une pointe d'amertume dans la voix, mais je ne suis pas certaine que ça durera, ou même si tu seras bien pendant que ça durera.

— Tu as raison, mais il faut que je le sache.

— Et si tu oses venir à l'aréna, l'avertit-elle, je te jure que je te casserai les deux jambes!

Kevin retourna à la voiture. Il se sentait déjà mieux.

Cynthia avait-elle raison? Est-ce qu'Amélie accepterait de le revoir? Il l'ignorait. Si elle était un tant soit peu intelligente, elle refuserait. Trop d'obstacles s'étaient dressés entre eux. Ils avaient encore trop de blessures à panser. Mais il tenait à la revoir. Amélie Fontaine était tout ce qu'il avait toujours désiré. Il savait qu'il leur serait difficile de faire durer la relation. Il était trop jeune pour lui offrir ce qu'elle désirait. Amélie était trop égoïste et impatiente et surtout beaucoup trop belle pour son propre bien. Mais elle lui était destinée. S'il ne tentait pas sa chance auprès d'elle, il le regretterait sa vie entière.

Il faisait froid et le soleil ne s'était pas encore levé quand Kevin termina la distribution des journaux du matin. Il alla porter le journal chez Amélie en dernier, comme d'habitude. Kevin était plutôt matinal. Il était à peine sept heures et demie. Il remarqua qu'il y avait de la lumière dans le vestibule. C'était inhabituel. Sa curiosité fut piquée. Il s'attendait à ce que les Fontaine dorment encore. Pendant que Kevin poussait le journal dans le passe-lettres, la porte s'ouvrit.

— Kevin?

Amélie était là, vêtue d'une robe de nuit en soie. Son visage était pâle. On aurait dit qu'elle avait pleuré ou qu'elle avait été malade.

— Peux-tu entrer?

Kevin entra et referma la porte derrière lui.

— Je t'attendais, dit-elle. Je ne savais pas trop à quelle heure tu passerais, alors je me suis mise à t'attendre à côté de la porte à partir de six heures.

Ils étaient dans le corridor qui était éclairé seulement par une petite lampe posée sur la table du téléphone. Un vieux roman était resté ouvert à côté du téléphone. Amélie paraissait inquiète.

— Cynthia et moi nous sommes quittés hier soir, lui dit-il.

Amélie lâcha un profond soupir.

— Je suis navrée, j'espère que ce n'est pas à cause de moi.

— Un peu.

Amélie inclina la tête. Kevin n'avait pas besoin de lui en dire plus.

— Je veux qu'on reprenne, lui dit-il.

— Moi aussi.

Amélie amena Kevin au salon. Les rideaux étaient tirés et la pièce baignait en pleine noirceur. Elle alluma les lumières de l'arbre de Noël. Des couleurs chaudes emplirent la pièce, des orange, des rouges, des verts et des or. Ils se retrouvèrent bientôt sur le canapé, puis s'embrassèrent.

— Je t'aime, lui dit-elle. Je t'ai toujours aimé. Nous ne nous tromperons pas cette fois. Nous ne laisserons personne nous barrer la route.

Kevin se mit à la chatouiller, comme il le faisait lorsqu'ils étaient enfants. Il ne la laisserait pas verser dans le drame passionnel. Il y avait eu droit la veille. Amélie ricana en le repoussant.

— Mettons une chose au clair tout de suite, dit-il d'un ton solennel. Nous sortons ensemble à titre d'essai. Et cette fois-ci, c'est moi qui déciderai le moment où l'essai sera terminé. D'accord?

— D'accord.

Amélie aurait été prête à lui promettre n'importe quoi pour qu'il revienne. Elle savait qu'il blaguait. Elle était prête à lui prouver son amour. Elle l'embrassa sur la poitrine, puis lui dit sur un ton joyeux:

— Personne ne sera debout avant des heures. On ne sera donc pas dérangés.

Kevin l'embrassa à nouveau. Bientôt, ils s'étreignirent comme ils ne l'avaient jamais fait auparavant. *Ce doit être ce qu'on appelle l'extase*, pensa Amélie pendant qu'ils s'embrassaient avidement sous les feux du sapin. Ils avaient du temps à rattraper. *Voilà la sensation que j'attendais, je suis prête maintenant.*

— Si tu n'as pas ce qu'il faut avec toi, dit Amélie, moi oui.

Kevin secoua la tête.

— Le moment n'est pas encore arrivé.

Amélie n'était pas certaine d'avoir bien compris ce qu'il lui disait.

— Qu'est-ce que tu veux dire?

Kevin l'embrassa dans le cou. Puis il parla d'une voix aussi tendre que résolue.

— Tu es peut-être prête, mais je ne suis pas sûr de l'être moi-même. Et je veux choisir le bon moment. Je ne suis pas comme Éric ou Marc-André, et je vais te le prouver. Je suis avec toi pour le rester.

Il marqua une pause, puis ajouta:

— Attendons encore un peu.

Amélie déposa un baiser rempli de douceur au creux de son cou. Elle le comprenait. Elle savait qu'elle l'aimait plus que jamais et que son désir n'arrêterait pas de grandir. Elle finirait pas le convaincre de sa sincérité. Elle le lui devait bien! Le plus important restait sans doute le fait qu'ils étaient de nouveau réunis.

— Je t'aime, répéta-t-elle en espérant que cette fois il lui répondrait la même chose.

— Non, tu ne m'aimes pas, la taquina-t-il. Tu m'aimes pour mon corps!

Ils se regardèrent en riant et se blottirent un peu plus l'un contre l'autre. Des éclats de lumière multicolore jouaient sur leur corps enlacés. En ce petit matin d'hiver, ils eurent la certitude qu'ils étaient ensemble pour toujours.